고슴도치의 방

고슴도치의 방

김민라 소설집

문학들

| 차례 |

고슴도치의 방

1

아버지의 장례식장에 도착했다. 엄마는 "여보, 집에 가자. 당신 없이 나 혼자서 어떻게 살라고" 하면서 아버지의 영정사진을 가슴에 부둥켜안고, 통곡했다. 나는 자리에 앉지 못하고 영정사진 앞에 멍하니 서 있었다. 뭔가 외치고 싶은 마음이 꿈틀거렸기 때문인지 입술이 덜덜 떨렸다. 누군가 건네준 물 한 모금도 삼킬 수가 없었다. 눈물이 콧속으로 흘러내려 소매 끝으로 계속 닦았더니 인중이 시큰거렸다.

장례식이 끝난 후, 아버지의 시신은 G시가 위탁한 화장대행업체의 운구차에 실려 화장장으로 갔다. 우리 부부와 엄마 외에는 아버지의 죽음을 슬퍼해 줄 사람이 아무도 없었다. 병원에서 지급했던 목재관은 불에 빨리 타는 재질이라고 직원이 설명했다. “이승에 대한 미련을 버려야 할 망자에겐 더없이 좋은 관이지”라고 말했다. 나는 아버지가 이승의 미련을 깨끗이 지울 수 없을 거라고 여겼다. 화장식을 하면서 당신의 한도 말끔히 불에 타 버릴 수 있다면…….

나는 1층 유족 대기실에 앉아서 화장장의 모니터를 우두망찰 바라보았다. 망자들의 이름이 하나씩 나타났다가 사라졌다. ‘서정일’이라는 이름이 떴다. 때맞춰서 아버지의 관이 벨트 컨베이어를 타고 화장로 안으로 들어갔다. 그런 광경들이 모니터를 통해 무심하게 펼쳐지고 있었다.

화장장의 안개가 아버지의 혼을 감아올리며 쓰다듬어 주는 듯했다. 아버지의 주검이 불과 한 시간 만에 한 줌의 재로 변했다. 인생이 허무하고 덧없다는 것을 뼈저리게 느낄 수 있었다.

생전의 아버지와 나는 애증이 교차하는 관계였다. 하지만 이런 식으로 이별을 맞이하고 싶지 않았다. 아버지가 살아 돌아온다면 이젠 모든 걸 이해한다며 품에 안기고 싶었다. 아버지의 온몸에 가득 찼던 한의 무게는 겨우 한 줌의 재로 남았다.

화장장 밖에는 화단의 백목련 꽃들이 아무 때나 몰아치는 산골바람을 견뎌 내지 못하고 함박눈처럼 날리고 있었다. 일찍 핀 목련은 꽃이 벌써 다 져 버려서 화려했던 자태를 찾아볼 길이 전혀 없었다. 꽃이 진 자리에 가지만 앙상한 벌거숭이 풍경에서 삶의 덧없음에 앞서 두려움이 밀려왔다. 앞으로 백목련 꽃대에서 암 덩어리처럼 징그럽게 생긴 주홍색 씨앗이 매달리게 될 광경이 떠올랐기 때문일까.

3일 전이었다. 전혀 예감하지 못했던 건 아니지만 갑자기 아버지의 변고 소식을 들었다. 남편과 나는 서둘러 고향마을로 달려갔다. 아버지는 옷이 여기저기 찢겨진 데다 흙이 덕지덕지 묻은 채 쓰러져 있었다. 검붉은 토사물에서 역한 냄새가 풍겼다. 정복 차림의 경찰관과 사복 차림의 낯선 사내들이 코를 싸맨 채 둘러보더니 독극물을 마신 '자살'로 보인다고 말했다. 사건 현장을 둘러보느라 정신없는 가운데 어디선가 바닥을 긁는 이상야릇한 소리가 났다. 소리가 난 곳은 아버지의 방이었다. 아버지의 방 안에서 고슴도치 한 마리가 방바닥을 긁으며 탱자가시 같은 털을 세우고 쉭! 쉭! 거렸다. 고슴도치가 추위에 약한 동물이라 아버지가 잠잘 때 데리고 잘 때가 많았다. 이제는 아버지가 키우던 고슴도치는 온전히 내 차지가 되었다.

나는 아버지의 죽음에 대해서 견해가 달랐다. 그들에게 자살이 아닌 타살이라고 항변하고 싶었으나 입을 열지 않았다. 내가 타살이라는 논리적 근거를 제시해도, 그들이 쉽사리 이해하지 못할 거라는 염려와 안타까움이 있어서 어금니를 꽉 깨물었다.

아버지의 죽음은 독극물인 제초제를 마신 자살로 결론이 났다. 아버지는 한 줌의 재로 변한 채 우리 모녀 곁을 떠나갔다. 누군가는 '죽음이 삶의 연장'이라고 했다. 만약에 그 말이 사실이라면, 아버지가 정신이 온전할 때만 해당되는 말일 것이다. 아버지에게는 끔찍한 상황이 될지도 모를 일이다. 당신은 목숨이 끊어지는 순간에 그동안의 참혹했던 현실과 결별하고 '망각의 세상'으로 홀홀 떠나기를 간절히 원했을 터였기 때문이다.

2

고등학교 2학년 봄날이었다. 담임 선생이 종례시간에, 휴교령이 내려서 내일부터 학교에 나오지 않아도 된다고 했다. 우리들은 개교기념일이나 공휴일도 아닌데 왜 쉬는 걸까, 궁금해 하기보다 실컷 놀 수 있다며 들떴다. 이팝나무 하얀 꽃들이 앞다퉈 피고 지는 5월이었다. 꿈 많은 여고 시절이었다. 우리들 마음은 들떠서 웃음꽃이 피었다. 지긋지긋한 교과서를 얼마간 던져 버릴 수 있어서 마음이 가벼웠다. 우리의 마음과는 다르게 담임 선생의 표정이 왠지 어둡게 느껴졌다. 그뿐만 아니라 쉬는 이유에 대해 아무런 설명을 하지 않은 채 우리들을 묵묵히 바라보기만 해서 치솟는 흥분을 참을 수밖에 없었다.

"쉬는 기간에 절대로 나돌아 다니지 말고, 가정 학습을 충실히 한다. 이상 종례 끝."

종례는 다른 때와 달리 간략하게 끝났다. 담임 선생이 교실 밖으로 나갔다. 간신히 억누르고 있었던 우리들의 흥분이 벚꽃망울처럼 일제히 터지고야 말았다. '절대로 나돌아 다니지 마라'는 담임 선생의 말이 귓속에 들어오지 않았다. 급우들은 친한 친구들끼리 어울려서 내일 만나자고 약속하느라 야단법석이었다. 분식집에서 찐빵이나 오징어튀김을 먹거나, 인접한 G시의 극장에 가서 영화 감상을 하자는 것들이었다.

같은 반 친구인 희순은 통기타 잘 치는 '엑스 오빠'를 졸라 천변공원에서 새로 나온 가요를 배우려고 한다며, 나를 은근히 끌어들였다. 희순은 벌써부터 흥을 이기지 못해 '창가에 서면 눈물처럼 떠오르는 그대의 흰 손 돌아서 눈 감으면 강물이어라'며 조용필의 「창밖의 여자」를 콧노래로 흥얼거렸다. 지난해에 발표되었던 그 노래는 공전의 히트를 기록 중이었다.

"해진이도 같이 데리고 가자."

"좋아. 글고, 영주 니네 집에 있는 야전도 가져오란게. 니네 아버지가 좋아한다는 고고판도 꼭 챙겨 와야 쓰겄다. 천변공원 후미진 데서 야전 틀어놓고 고고 춤도 신나게 추잔 말이다."

나는 지난봄 소풍 때 아버지의 야외전축을 몰래 가져갔다. 아버지의 애창곡이랄 수 있는 「헤이 투나잇」, 「모리나」, 「프라우드 메리」 같은 노래를 틀어 놓고 급우들과 함께 고고를 추며 즐거워

했던 추억이 생생하게 되살아났다.

아버지는 팝송 부르는 것과 고고 추는 것을 좋아했다. 직장 동료들과 술이라도 한 잔 마시고 들어온 날이면 야외전축을 틀어 놓고 고고를 추어야만 직성이 풀렸다. 그 야외전축은 아버지의 보물 1호처럼 보였다.

"알았어."

"혹시 내 말을 까묵고 맨몸뚱이로 오면 절대로 안 된다."

"염려 마라. 내 몸뚱이는 까묵고 안 가져가도 야전은 틀림없이 가져갈 텐게."

나의 장난스러운 말투와 야외전축을 꼭 가져가겠다고 장담하는 말에 희순의 입이 귀에 걸렸다. 그렇게 즐거운 반면에 나는 이틀째 귀가하지 않는 아버지 생각이 불쑥 솟구쳐서 금세 침울해졌다. 아버지는 엄마의 부탁으로, 가까운 G시에서 자취하는 막내 외삼촌에게 반찬을 전해 주러 갔다는데 이틀째 감감무소식이었다.

"아야, 너희들, 아침 뉴스 봤어? 중공군 비행기 수십 대가 쳐들어왔다고 그러더라. 이러다가 우덜도 교련복 입고 전쟁터에 나가야 하는 거 아닌가 몰라."

교문 밖으로 나가던 중, 좌측에서 걷고 있던 해진이가 나와 희순에게 걱정스러운 눈빛을 보냈다. 귀에 걸렸던 희순의 입이 샐쭉하게 변하면서 콧방귀까지 뀌었다.

"에헤, 어쩌다가 실수로 넘지 말아야할 선을 조금 넘어 부렀

겄제. 설마 전쟁이사 벌어질라고. 봐라! 봐라! 저 하늘 땅 모두 쥐 새끼 죽은 것 맹키로 조용하잖아. 꽃 피고 새 우는 겁나게 좋은 이런 봄날, 그런 헛소리로 좋은 기분을 망가트려야 쓰겄냐. 그런 소리 자꾸 지껄이면 니 똥꼬에 무좀 걸린다, 알겄냐?"

"희순아, 그게 아니란 말이다. 시민들이 전시에 대비할라고 생필품을 사들인다고 보도하더라. 구멍가게, 슈퍼마켓, 백화점의 생필품 코너가 텔레비전 화면에 나오더란게. 라면이랑 쌀이랑 놓여 있던 진열대가 텅텅 빈 것을 반복해서 보여 줬거든. 어디 그것뿐이 간디야. 연탄가게마다 창고가 텅텅 빈 것도 보여 주었단 말이다."

"이런, 이런, 겁쟁이. 나, 인간 김희순이는, 내일 지구의 종말이 온다고 혀도, 야전 틀어 놓고 헤이 투나잇, 프라우드 메리에 맞춰 고고를 출 것인게 괜히 겁주지 말더라고."

희순은 교문 밖을 벗어나자마자 「헤이 투나잇」을 흥얼거리며 고고 스텝을 밟았다.

나는 친구들과 헤어져 집으로 돌아왔다. 혹시나 하는 마음으로 안방부터 살펴보았다. 아버지는 물론 엄마도 보이지 않았다. 뭔가 불안했다. 안방의 앉은뱅이책상 위에 고이 앉아 있는 야외전축이 도드라지게 보였지만 마음에 다가오지 않았다. 엄마가 개다리소반에 저녁 식사를 차려 놓고 오방색 조각 상보를 덮어 놓았다. 우리 식구의 저녁상이었다. 그것도 눈에 차지 않았다.

나는 마당을 암탉처럼 바장이다가 더 이상 견디지 못하고 대문 밖으로 나섰다. 마을 분위기가 평소와 다르게 음산한 분위기에 휩싸였다. 사람들이 삼삼오오 모여서 수군거리고 있었다. 전어머리가 겁나게 나쁜 놈이라며, 악마나 다를 바 없다고 욕하고 있었다. 나는 그 전어머리가 우리 마을의 구멍가게 주인을 가리키는 것인지, 군청의 어떤 과장인지, 전혀 몰랐으며 알 필요도 없었다. 오로지 아버지와 엄마가 손을 잡고 다정한 모습으로 걸어오기를 학수고대하고 있었다. 아버지와 엄마는 마을에서 잉꼬부부로 소문난 사이였다.

서산에 노을이 드리워지기 시작했다. 예전에는 노을을 볼 때마다 예쁜 꽃들이 탐스럽게 피어 있는 것 같아서 황홀했다. 그날은 왜 그런지 모르게 노을이 핏빛처럼 느껴져서 섬뜩했다. 붉은 노을이 자색에서 마침내 흑갈색으로 변해가자 거기에 비례해서 내 불안감도 짙어지고 무겁게 내려앉았다.

탱자가시가 내 몸뚱이를 사정없이 찔러 대는 것 같은 아픔과 무서움이 덮쳐 왔다. 집으로 돌아가려 할 때, 먼발치에 엄마의 모습이 나타났다. 백열전구 가로등의 흐릿한 불빛 아래 한 쌍이 아닌 외톨이 잉꼬가 힘겹게 걸어오고 있었다.

엄마가 아버지의 직장으로 전화를 걸어 보았다. 그런데 출근하지 않았다며 오히려 어떻게 된 거냐고 엄마에게 되물었다. G시에서 자취하는 외삼촌의 주인집에 전화를 걸었다. 외삼촌과 어렵사리 통화할 수 있었다. 아버지가 찾아온 적이 없다고 했다. 엄마는 G시에 사는 아버지 친구 집에 전화를 했는데 만난 적이 없다고 말했다. G시에 다시 오게 되면 연락하라면서 그때 아버지를 찾아보자고 위로했다. 엄마는 안절부절못하다가 그 도시로 들어가겠다며 시외버스를 탔다.

군인들이 설치해 놓은 바리케이드 때문에 안으로 들어갈 수 없었다. 엄마가 군인들에게 통사정을 했으나 막무가내였다. 도저히 어쩔 수 없는 상황에서 돌아올 시외버스마저 끊겼다. 결국 걸어서 집으로 돌아오느라 늦었던 거였다.

"오매, 어째야 쓰꺼나. 니 아버지를 어디서 찾아야 할지 모르겄다."

엄마의 안색은 흑갈색으로 변한 바로 그 노을빛이었다.

3

그 도시 안에서 폭도들이 방송국에 불을 지르고 총과 버스를 탈취해서 무법천지가 되고 말았다는 뉴스가 연일 흘러나왔다. 북에서 간첩들이 남파되어 폭도들을 선동하고 있다는 이야기도 들려왔다. 텔레비전에서, 공수부대 장교가 이마에 피를 흘린 채 걸어가는 장면을 보았다. 상황 설명이 없어서 잘 모르겠지만, 폭도들의 돌멩이에 맞아서 그렇게 된 거라고 짐작했다. 그런 뉴스를 접할 때마다 엄마는 그 도시 안으로 들어가려고 애를 썼으나 끝내 뜻을 이루지 못했다. 그 도시는 뱃길이 끊긴 섬이나 마찬가지였다. 그나마 처음에는 연결되었던 전화마저 완전히 끊기고 말았다.

"애고, 애고, 니 아버지가 바람이 나서 어떤 년하고 멀리 도망이라도 갔으믄 좋겄다."

엄마는 매번 이런 말을 내뱉으며 툇마루 위에 쓰러지듯 털퍼덕 주저앉곤 했다. 지옥처럼 변했다는 그 도시 안으로 아버지가 들어가지 않았기를 간절히 바라는 마음에서 나온 말이라는 것을 나는 잘 알고 있었다.

며칠 후, 폭도들이 일망타진 되었다는 뉴스를 접했다. 방송국과 세무서가 불타고, 수많은 사람들이 다치거나 죽었다고 했다. 바리케이드가 철거되었다는 소문이 들려왔으나 엄마는 어찌해야 좋을지 몰라서 발을 동동 굴렀다. 그 도시 안으로 들어갈 수 있었지만, 어디론가 사라진 아버지를 어떻게 찾아야 할지 난감했기 때문이다.

"영주야, 나랑 같이 퍼뜩 가 보자."

"학교는?"

"니 아버지가 살았는지 죽었는지 모르는 판국인디, 뭐 말라서 비틀어진 학교타령을 하고 자빠졌냐. 어서 가 보자."

아버지는 돌아오지 않았다. 엄마는 날이 갈수록 불안과 초조에 떨면서 발만 동동 구르고 있었다. 나는 휴교령이 끝나 개학을 알리는 통지를 받고 학교에 갔지만 선생님의 말이 귀에 잘 들어오지 않았다. 사람들에게 주어진 일정 기간은 상황에 따라 찰나로 느껴질 수도, 영겁으로 느껴질 수도 있을 터였다.

나는 엄마가 잡아끄는 대로 따라갔다. 원형 분수대가 있는 도청 앞은 친구들과 함께 수학여행 왔던 적이 있는 곳이었다. 겉으로 보기에, G시는 아무런 일이 없었던 듯 태연한 표정을 짓고 있는 듯했다. 길거리의 행인들은 각자의 삶을 위해 바쁘게 움직이고 있었다. 아스팔트 도로 위 여러 곳에서 밤하늘의 별처럼 빛이 반사되고 있었는데, 수많은 차량의 유리창이 산산이 깨져서 널린 거였다.

엄마가 매우 크고 웅장해 엄숙해 보이는 건물 앞으로 급한 마음에 몹시 허둥거리며 다가갔다. 상무관이었다. 향냄새가 진동했다. 목메어 우는 소리들이 그 냄새 속에 헝클어진 머리카락처럼 뒤엉켜 있었다. 수많은 사람들이 죽어 있었다. 태극기에 덮인 수많은 관들이 보였다. 그들은 몸에 피 칠갑을 하고 있었다. 팬티만 입은 채 죽은 어린 소년의 몸에 파편이 박혀 자줏빛 피가 굳어 있었다.

나는 끔찍한 상황에 피부에 소름이 돋고 털끝이 쭈뼛해져 안으로 들어가지 않으려고 앙버텼다. 말로만 들었던 죽음의 현장을 보자 마치 내 숨이 끊어진 듯 몸뚱이가 뻣뻣하게 굳어 가기 시작했다. 엄마는 용감했다. 아니, 잉꼬부부의 진면목을 유감없이 보여 주었다. 내 손목을 던지다시피 하고, 엄마 혼자서 안으로 들어갔다.

얼마 후, 엄마가 밖으로 나왔다. 깊은 한숨을 내쉬는 걸 보니 일이 잘못되었다는 것을 눈치로 알 수 있었다. 어쩌면, 그 한숨은 아버지가 극한 상황을 모면해서 다행이라는 표현이었을지도 모르겠다. 나도 모르게 눈물이 내 뺨을 타고 소리 없이 흘러내렸다. 아버지가 관 속에 누워 있는 것도 아닌데…… 엄마도 코를 훌쩍였다. 하지만 눈동자는 예전과 달랐다. 벌겋게 변한 채, 도시를 샅샅이 뒤질 기세로 방향 없이 굴러다녔다.

"가자!"

엄마에게 손목을 붙잡힌 채 가까운 거리에 있는 시외버스 공용터미널로 갔다. 만약 아버지가 시외버스에서 내려 외삼촌 집에 가려면 터미널에서 내렸을 것이다. G시에 사는 아버지 친구가 엄마의 연락을 받고 터미널로 마중을 나왔다. 엄마는 아버지의 친구에게 남편을 찾아 달라고 애원했다. 엄마는 외삼촌의 자취방이 있는 곳까지 걸어가면서 마주치는 사람들이나 상점 주인들에게 물어봐도 하나같이 머리를 좌우로 흔들며 모른다고 할 뿐이었다. 엄마는 다음 날부터 아침 일찍 광주로 출근 아닌 출근을 하기 시작해서 밤이 되면 산송장이 되어 돌아오곤 했다.

학교에 간 지 사흘이 지났다. 내가 학교에서 돌아와 엄마를 기다리고 있을 때 전화 한 통이 걸려왔다. 아버지가 병원에 입원해 있다고 했다. 엄마는 집으로 돌아오자마자 택시를 대절해서 나를 데리고 아버지가 있다는 병원으로 향했다.

아버지가 입원해 있는 병실 철제 침대에 '서정일' 이라는 이름표가 붙었기 망정이지 그렇지 않았다면 아닌 줄 알고 지나쳤을지도 모른다. 아버지는 병상에 누워 있었다. 두 눈을 빼놓고 머리 전체에 압박붕대가 감겨 있어서 흡사 미라 같았다. 아버지가 의식을 얼마간 되찾았다가 다시 잃은 상태라고 간호사가 말했다.

"아이고, 영주 아버지! 시방 요것이 뭐시다요."

엄마는 아버지를 붙들고 한숨을 쉬며 한탄했다.

"워메, 먼놈의 날벼락이라요? 워째 이런 일이 벌어졌다요?"

엄마가 팔과 다리를 깁스하고 있는 옆 침대의 환자에게 물었다.

"그때 내가 마침 공용터미널에 함께 있어서 잘 알고 있는디, 계엄군들이 미친 듯이 몽둥이로 패서 저러코롬 겁나게 다쳤단 말이요."

"누가 그랬다고요? 법 없이도 살 사람이 우리 남편인디, 이런 죽일 놈덜!"

"얼룩무늬 계엄군들이 곤봉으로 확독에 고추 갈 듯이 머리를 뭉게부렀다요."

"워메, 뭐시라고라? 워메, 그게 정말이다요!"

그 순간, 나는 엄마의 눈에서 넋이 빠져나가는 것을 보았다.

4

아버지가 한 달 가량의 치료를 마치고 집으로 돌아왔다. 압박붕대를 풀었고, 멍과 부기도 빠졌다. 하지만 예전의 모습이나 분위기와 많이 달라져 있었다. 무엇보다 눈동자 초점이불안하게 흔들렸다. 말수가 사라졌고 어깨는 축 늘어졌다. 예전의 아버지는 직장에서 귀가하면 보물처럼 여기는 야외전축부터 찾았다. 이젠 야외전축 따위는 아예 거들떠보지도 않았다. 마치 실어증에 걸린 사람처럼 입을 꼭 다문 채 직장과 집을 오가곤 해서 아버지의 존재감을 느끼기 힘들 정도였다. 게다가, 아버지는 가족들과 대화도 거의 끊었다. 안방에 있는 야외전축을 그대로 팽개쳐 놓은 채 골방으로 숨어 들어간 것도 알 수 없는 변화였다. 엄마는 아버지가 죽음 속에서 살아 돌아와 다행이라며, 평상시 모습으로 되돌아갔다.

하지만 그날 이후로 변화가 없는 것은 아니었다. 마을 아낙네들을 만나기만 하면 주변을 슬금슬금 살피면서 귀엣말을 건네곤 했다. 나는 그 귀엣말을 들어 본 적이 없어도 무슨 내용인지 짐작할 수 있었다. 엄마는 아버지를 찾아다니면서 직접 듣고 보았던 그 도시의 참상을 주절거렸을 터였다.

"에라이, 살가죽을 찢어서 가죽나무에 열두 번도 더 걸쳐놓을 놈덜!"

엄마가 귀엣말을 건네다가 특정한 대상을 지칭하지 않은 채 허공을 향해 삿대질하고 악다구니치곤 했다.

평범한 날이 얼마간 계속되다가 전혀 예상하지 못했던 사건이 일어났다. 아버지가 폭력을 행사했다. 아버지가 엄마에게 심한 욕설을 퍼부으며 머리채를 잡아끌고 골방으로 데려갔다. 잉꼬부부로 소문났던 사이라서, 내가 직접 목격하지 않았으면 믿을 수 없는 일이었다. 더 믿기지 않는 것은 엄마가 전혀 대항하지 않고 그 폭력을 스펀지처럼 고스란히 받아들인다는 점이었다.

그런 폭력 행위가 빈번하게 벌어졌다. 그럴 때마다 아버지는 엄마의 머리 부위를 집중적으로 때리곤 했다. 엄마가 얼마나 큰 죄를 저질렀는지 모르지만 두 손을 모아 싹싹, 빌었다. 그러면 아버지가 두 손을 허리에 올려붙인 자세로 악마 같은 웃음을 날렸다.

나는 폭력을 행사하는 아버지뿐만 아니라 일방적으로 당하기만 하는 엄마도 미웠다. 무슨 죽을죄를 졌기에 때리고 맞아야 하는지 이해할 수 없었다. 내가 엄마에게, 그런 꼴을 보느니 차라리 내가 가출해 버리겠다고 했다. 엄마는 손바닥으로 내 입을 막았다.

몇 달 후의 일이지만, 도무지 이해할 수 없는 사건이 벌어졌다. 그날도 아버지의 폭력 행위가 벌어졌고, 견디다 못한 엄마가 골방에서 뛰쳐나와 뒤뜰로 도망쳤다. 아버지가 과도를 들고 잽싸게 뒤따라갔다. 생명의 위협을 느낀 엄마가 손에 잡히는 대로 물건을 집어던지고, 급한 김에 대빗자루를 들고 대항했다. 아버지가 갑자기 주춤거리더니 골방을 향해 쏜살같이 도망쳤다. 과도를 든 아버지가 엄마의 빗자루를 무서워하며 빗장까지 걸어 잠갔다.

그 사건 이후로 아버지의 폭력 행위가 사라졌다는 게 믿어지지 않았다. 이해하기 힘든 일이 또다시 벌어졌다. 퇴근길의 아버지 얼굴 표정이 두려움에 떨고 있었다. 왜 그러느냐고, 내가 물었다. 마을 개구쟁이들이 싸우다가 코피가 터졌는데, 무서워서 도망쳐 왔다는 거였다.

"아버지, 그 애들이 키가 클라고 싸운 것인데, 뭐가 그렇게 무섭다고 그래요."

"그게 아니란게. 피, 피, 피를 봤단 말이다."

아버지가 솔방울처럼 커진 눈동자를 데굴데굴 굴렸다. 대문을 박차고 안쪽으로 잽싸게 도망쳤다. 내가 뒤따라, 아버지의 골방 안으로 들어갔다. 퀴퀴한 냄새가 흘러나올 뿐 아버지는 보이지 않았다. 그 대신에 밤송이인지 다람쥐인지 얼른 구별하기 힘든 어떤 물체가 플라스틱 상자의 담요 속에서 나를 겁먹은 눈으로 바라보고 있었다. 호기심이 발동해서 상자를 발로 가볍게 찼다. 녀석이 탱자가시 같은 털을 곤두세우며 쉭, 쉭, 하는 소리를 냈다. 고슴도치였다.

그 녀석에게 더 이상 관심을 보일 여유가 없었다. 다락방 속에서 부스럭거리는 소리가 들려왔다. 다가가서 문을 열었다. 이불을 둘둘 말아 온몸을 감싼 채 사시나무처럼 떨고 있던 아버지가 두 손을 내밀며 나에게 빌기 시작했다.

"제발 살려 주쇼. 나는 잘못이 없단게라."

"저예요. 아버지 딸, 영주."

"아이고, 애먼 사람을 왜 팬단가요."

"아버지, 누가 때린다고 그래요……."

나는 아버지의 정신이 비정상이라는 것을 그때서야 알아차렸다. 아버지의 손목을 조심스레 붙들고 다락방에서 내려오도록 이끌었다. 쉬운 일이 아니었다. 다락방 아래의 골방이 지옥이라도 되는 것처럼 필사적으로 버텼다. 엄마를 다급하게 불렀다. 놀란 얼굴로 달려온 엄마가 골방 안의 상황을 즉각 알아차리고 방바닥에 주저앉아 통곡했다.

"영주 아버지, 왜 이런다요. 정신 퍼뜩 채리란게라. 언놈이 당신을 요상하게 맹글었다요. 아이고, 영주 아버지! 아이고, 영주 아버지!"

엄마의 통곡에 아버지가 정신을 차렸는지 둘둘 말고 있던 이

불을 걷어내고 다락방에서 내려왔다.

"아따, 뭔 일로 곡을 하는 거시여? 누가 죽기라도 했단가? 아야, 영주야, 니 엄마가 왜 이렇게 뗑깡을 놓고 그런다냐? 어허, 이 사람아, 정신 채려. 아야, 영주야. 징허게 배고프단 말이다. 니 엄마 대신에 밥상 좀 채려오니라."

아버지가 아주 태연한 동작으로 고슴도치를 향해 먹이를 조금씩 던져 주기 시작했다.

다음 날, 아버지는 직장을 하루 쉬고 엄마와 함께 G시에 있는 병원으로 찾아갔다. 의사는 아버지가 머리를 다쳤을 때 뇌 손상을 입어서 정신분열 증상이 보인다며 몇 가지 약을 처방해 주었다. 의사는 무엇보다 환자 스스로 트라우마에서 벗어나려고 노력하는 게 최우선이라고 강조했다. 게다가 안정을 취할 수 있는 환경이 필요하다고 엄마를 바라보면서 부탁했다.

그 후, 아버지는 직장을 그만두게 되었다. 직장에서도 아버지의 정신이 이상한 것을 이미 눈치챘는지 해고하려던 참이었다.

5

어디선가 바닥을 긁는 이상야릇한 소리가 났다. 그 소리의 진원지는 아버지의 골방이었다. 방문을 슬며시 열어 보았다. 아버지가 고슴도치에게 먹이를 던져 주고 있었다. 아버지가 적적할 거라며 엄마가 몰래 사다 놓은 게 고슴도치였다. 처음에는 아버지도 무섭게 생긴 데다 냄새가 고약하다며 갖다 버리라고 화를 낼 정도로 싫어했다. 그런데 아버지가 직장을 그만둔 후에 심심하던 차에 눈앞에 보이는 고슴도치와 티격태격 싸우다가 정이 들었던 모양이다. 아버지의 소일거리는 그 녀석을 돌보면서 장난을 치는 일이었다. 어쩌다 싫증이 나면 바깥바람을 간간이 쐬는 것이었다. 그런 생활이 안정을 주었는지 모르지만, 예전에 비해 건강이 약간 좋아진 듯해서 불행 중 다행이었다.

아버지가 고슴도치의 머리를 쓰다듬었다. 녀석이 몸뚱이를 공처럼 둥글게 말고 가시를 바짝 세웠다. 쉭, 쉭, 소리를 연거푸 내다가 머리를 들이밀어 점프하듯이 뛰어올랐다. 그 작은 몸뚱이를 둥그렇게 말아 놓으니 성게처럼 보였다. 녀석이 날카로운 가시를 세웠을 때, 아버지는 놀라거나 경계하기는커녕 뭐가 그렇게 재미있는지 배를 움켜쥐고 웃었다.

나는 아버지가 녀석을 왜 좋아하는지 이해할 수 없었다. 순한 눈동자가 귀여워 보이기는 했지만, 배설물 냄새가 고약했다. 가시 같은 털을 간간이 곤두세우기도 해서 무서울 때도 많았다.

아버지와 고슴도치는 닮은 구석이 많았다. 우선 여럿이 모여 있는 것을 싫어한다는 거였다. 녀석이 혼자 있기를 좋아하는 것처럼 아버지도 지인들이나 친구들과 왕래를 끊었다. 오로지 골방에 숨어서 녀석과 시간을 보냈다. 아버지가 예전과 달리 몸을 둥글게 말아 새우잠을 자는 것도 녀석과 비슷했다.

나는 아버지가 병적이다시피 애지중지하는 고슴도치의 생태와 습성에 대해 조사했던 적이 있었다. 녀석은 자신의 영역을 지키며 혼자 있는 것을 좋아했다. 교미를 할 때의 특별한 상황이 아니면 암수가 함께 지내지 않았고 가족하고도 같이 생활하지 않았다. 녀석은 침입자가 없고, 위험 상황이 아닌데도 은신처에 숨어 있는 것을 좋아했다. 약간의 위협을 느끼기만 해도 탱자가시 같은 털을 곤두세워서 자신을 방어하는 소심하고 연약한 동물이었다.

아버지의 정신이 깨어나 맑은 상태였는지 고슴도치 목욕물을 떠오라고 시켰다. 아버지의 건강이 호전된 것 같아서 정말 기뻤다. 나는 빨리 달려가서 세숫대야에 물을 담아 골방으로 들어갔다. 고슴도치의 배설물 냄새와 아버지의 체취가 뒤섞여서 후각이 마비될 정도였다. 평소에 엄마와 내가 골방을 청소하려고 해도, 아버지가 결사적으로 막는 바람에 악취가 쌓여서 동굴로 변한 지 오래되었다.

아버지가 고슴도치를 목욕시키려고 했다. 녀석이 아버지의 손가락을 깨물었다. 아버지가 '스읍' 이라고 하자 녀석이 고분고분해졌다. 목욕을 끝내고 마른수건으로 닦아 주자, 녀석은 기분이 좋은지 벌러덩 드러누워 배를 보여 주었다. 그런 행위는 믿음이 간다거나 친근감을 느낀다는 표현이었다.

그러던 어느 날이었다. 내가 학교 수업을 마치고 돌아오는 길이었는데 어느 골목에서 아버지의 날카로운 목소리가 들려왔다. 무슨 사고라도 났나 싶어 재빨리 가보았다. 아버지가 옥수수 밭을 바라보며, 거친 욕설을 내뱉고 있었다.

"어느 구름에 비 올지 모르니 까불지 마란게."

아버지는 욕설에 삿대질까지 했다. 옥수수 밭에는 아무도 없었다. 아버지 혼자서 주절거리고 있었다. 키 큰 옥수수들 사이에는 시나브로 부는 바람소리만 스쳐 가고 있었다. 그런데 하늘에 갑자기 먹구름이 나타나더니 소나기가 쏟아져 내렸다. 아버지는 기이하게도 날씨가 흐리기만 하면 혼잣말을 중얼거리거나 실실 웃었다. 나는 그럴 때마다 가슴이 짓눌려서 숨을 쉬기가 힘들었다. 아버지의 병세가 얼마간 호전된 줄 알았는데 다시 악화되고 있었다.

이런 적도 있었다. 엄마가 군청 앞을 지나갈 때인데, 여러 사람들이 앞다투어 우르르 몰려가고 있었다. 무슨 구경거리라도 생겼나 싶어 나도 꽁무니에 달라붙었다. 도로 한복판에, 머리카락을 박박 민 사내가 등을 돌린 채 무릎 꿇고 있었다. 뒤통수에 있는 커다란 흉터들이 지네처럼 징그럽게 보였다. 그가 길 건너편 저쪽을 향해 머리를 조아리며 두 손 모아 빌기 시작했다. 구경꾼들이 그를 가리키며 낄낄거렸다.

"난 아무런 잘못이 없어라우. 난 대한민국의 선량한 국민이여

라. 아따, 패지 마란게라.”

그 사내가 누군가에게 폭행이라도 당하는 것처럼 지네 같은 흉터를 감싸 쥐며 몸뚱이를 부들부들 떨었다. 그 앞에는 아무도 없었다. 저만큼 군복을 입은 군인 두 사람이 지나가고 있었는데, 그들을 향해 두 손 모아 빌고 있었다.

“또라이구먼. 비가 또 올란가비여”

구경꾼들이 비가 올 모양이라며 장난기 섞인 비웃음을 날렸다. 나는 멀리서 꿇어 엎드린 사내가 아버지라는 것을 뒤늦게 알아차렸다. 너무나 부끄러운 나머지 구경꾼 뒤로 몸을 숨겼다.

군인들이 시야에서 사라지려고 할 때, 아버지가 자리에서 벌떡 일어났다. 두 팔을 하늘로 번쩍 치켜들더니 애국가를 우렁차게 부르기 시작했다.

“동해물과 백두산이 마르고 닳도록, 하느님이 보우하사 우리나라 만세…….”

엄숙하게 불러야 할 애국가였는데, 한 정신분열증 환자가 도로 한복판에서 두 팔을 치켜들고 부르는 바람에 한낱 웃음거리가 되어 버렸다.

애국가 부르던 아버지가 구경꾼들을 향해 다가갔다. 아버지는 고슴도치처럼 말의 가시를 세운 채 시비를 걸기 시작했다. 애국가 부르는 것을 비웃는 놈들은 빨갱이라는 거였다. 아버지의 시뻘건 눈동자가 굶주린 늑대를 보는 듯했다. 구경꾼들이 두려워서 거미처럼 흩어졌다. 청년 두 명이 가소롭다는 듯 눈알을 부라리며 아버지에게 다가가더니 발로 걷어찼다. 그러자마자 아버지의 흉악했던 눈빛이 어느새 사라지면서 무릎을 털퍼덕 꿇고 살려달라고 빌기 시작했다. 그것으로 끝이 아니었다.

"나는 폭도가 아니란 말여. 나는 아무런 잘못이 없단게. 제발! 제발!"

아버지는 입에 게거품을 내뿜으며 땅바닥에 납작 엎드렸다. 그런 모습을 지켜보던 엄마는 망설일 틈도 없이 달려가서 아버지를 일으키면서 가슴을 쥐어뜯고 있었다.

6

아버지가 자의 반 타의 반으로 직장을 그만두고 나서, 엄마가 집안의 가장이 되어 생계를 책임지기 시작했다. 군내를 이곳저곳 기웃거리며 허드렛일을 해주고 품삯을 받는다거나 가까운 병원에서 부정기적으로 부를 때마다 달려가서 잡일을 거들었다. 철마다 농사 품까지 팔아야 간신히 버텨 나갈 수 있었다. 아버지의 엄청난 진료비와 약값을 감당하려면 어쩔 수 없는 상황이었다.

엄마는 손아귀가 갈퀴처럼 변해도, 그런 일들을 숙명처럼 받아들이고 있었다. 아버지가 직장생활을 할 때는 밥 짓고 빨래하는 것도 지겨워하던 엄마였다. 현재의 상황에 적응하려고 그렇게 되었는지 모르지만, 엄마는 일벌레로 변신했다.

"엄마, 아버지가 때리는데 참는 이유가 뭐예요? 난 엄마를 때리는 아버지가 겁나게 미워 죽겠어. 아버지가 집을 나가서 콱, 죽어 버리면 좋겠어."

나는 아버지가 그 도시에서 돌아온 후부터 엄마가 이해하기 힘들 정도로 변해 버린 이유가 궁금했다. 아버지가 밉기만 했던 것이 아니라 길거리에서 헛소리를 지껄인다거나 말썽을 피우는 모습이 부끄러워 쥐구멍에라도 숨고 싶었다.

"나 땜에 아버지가 저렇게 되었는디 워쩔 거시냐. 내가 죄인이여, 내가 죄인."

엄마의 한탄과 거센 한숨으로 뒤란 대밭의 대나무들이 와르르 쓰러지는 듯했다.

"엄마 땜에 저렇게 된 게 아니래. 친구들 이야기를 들어본게, 그 전어머리가 무슨 흉계를 꾸미느라 죄 없는 대학생들과 시민들을 그렇게 만들었다고 하던데. 아마 아버지도 그 전어머리 땜에 저렇게 되었을 것이요."

그때 나도 주워들은 이야기가 있어서 한마디 거들었다.

"찢어진 입이라고 함부로 나불거리지 말고 조개처럼 다물어라. 어느 귀신이 잡아채 갈지 모른게."

"에이, 입은 비뚤어졌어도 말은 똑바로 해라 그랬다고요."

"에미 말 안 듣고 왜 지랄을 떨고 있다냐. 험한 꼴 또 보기 싫으믄 어금니 앙다물고 있어야 한단 말이다."

엄마의 부릅뜬 눈이 무서웠다. 군인이었던 전어머리가 어느 날 갑자기 청와대 주인이 되고, 세상 돌아가는 갖은 꼴이 위태롭게 느껴져서, 엄마의 말처럼 '어금니 앙다물고' 남은 여고 시절을 보냈다. 아버지는 세상이 어수선하든 말든 골방에 늘 들어박혀서 고슴도치와 놀았고, 그럴수록 녀석을 빼다 박듯 닮아 갔다.

7

나의 대학 시절은 낭만과는 완전히 딴판이었다. 아버지의 정신분열 증상이 남부끄러워서, 대입시험 준비에 기를 쓰고 매달렸다. 공부를 열심히 하면 최소한 G시에 있는 대학에 갈 수 있었다. 그게 아버지 곁을 홀가분하게 떠날 수 있는 방법이었다. 구차하고 암울한 집안을 훌훌 털고 탈출할 수 있는 유일한 비상구였다. 그렇게 해서 대입시험에 합격한 나는 흥분에 들떴다. 하지만 막상 캠퍼스를 밟고 나서 실망했다. 그 어느 곳에도 '지성과 낭만'이라는 단어는 찾아볼 수가 없었다. 매운 최루가스가 눈물을 왈칵 쏟아지게 만들었다. 꽃병이 파열음을 내면서 검붉은 불길을 뿜어내곤 했다. 학우들의 우렁우렁한 함성이 교문 밖으로 일제히 쏟아져 나갔다가 산산이 깨진 채 쫓겨 들어오곤 했다.

나의 대학 시절은 혼돈 그 자체였다. 하지만 무의미한 시간만 흘러간 것은 아니었다. 여고 시절의 휴교령, 아버지의 정신분열증, 학우들의 분노 등에 대한 감춰진 진실과 내막을 알게 되었다. 그때서야 아버지를 싫어하고 미워했던 마음이 연민으로 서서히 바뀌기 시작했다. 그렇다고 해서 마음을 돌리고 암울한 집안으로 다시 들어가고 싶지 않았다. 대학을 졸업하고 직장을 다니다가 사내 연애를 해서 결혼을 했다. G시에서 신혼생활을 하면서 부끄럽고 암울한 집안으로부터 자연스럽게 격리되기를 바란 적도 있었다. 하지만 결혼이 암울한 현실을 말끔히 지워줄 수 없었다. 간간이 걸려오는 엄마의 전화는 그런 내 마음을 무색하게 만들었다. 그럴 때마다 마음의 상처는 커져만 갔고 현실 도피는 불가능한 일이 되었다.

분신정국이 벌어지기 시작했다. 분신, 분신, 또 분신. 대학 후배 여학생도 아까운 청춘을 불꽃 속에 내던졌다. 나는 그런 소식을 접할 때마다 코끝에서 살이 타는 냄새가 느껴져서 먹은 것을 게워냈다. 언젠가는 남편이 혹시 임신한 거 아니냐며 부축해 준 적이 있었다.

"아무리 근다고, 그 뜨건 불길 속에 몸을 내던져 자살을 하믄 쓰겄냐?"

엄마는 아무것도 모르고 원망 섞인 말을 했다.

"그건 자살이 아니라 엄밀히 말해서 타살이지."

"타살? 그럼 언놈이 불길 속에 밀어 넣기라도 했다는 것이냐?"

"잘못된 세상이 그들을 죽음으로 몰아넣었으니까 자살이 아닌 타살로 봐야 한다는 거야."

엄마는 내말을 듣고 '사회적인 타살'이 뭔지 알게 된 듯 고개를 끄덕였다.

아버지가 돌아가시기 얼마 전이었다. 나는 그동안 친정집 발길을 거의 끊다시피 하고 지내왔다. 그런데 남편이 아버지 병문안을 다녀오자고 자꾸만 채근해서 고향집으로 찾아가게 되었다. 그게 아버지와 생전의 마지막 만남이 될 줄은 꿈에도 몰랐다.

아버지는 정신이 오락가락한 상황에서 전혀 벗어나지 못하고 있었다. 그날도 아버지는 골방에 들어박혀 고슴도치와 장난하느라 여념이 없었다. 오랜만에 찾아온 우리 부부를 건성으로 쳐다보고 입꼬리를 약간 씰룩거리며 웃을 둥 말 둥 어정쩡한 표정을 지을 뿐이었다.

그때, 이웃집 아저씨가 찾아와서 엄마에게 말하기를, 아버지가 계엄군의 곤봉에 맞아서 머리를 다쳤으니 보상금을 신청하는 게 어떠냐고 했다. 골방에 있던 아버지가 그 말을 들었던지 부랴부랴 뛰쳐나왔다.

"어이. 김씨. 방금 뭐시라고 했소?"

"서씨도 그 싸가지 없는 놈덜 몽둥이에 맞아서 요로코롬 되었은게 유공자 아니겄소. 그런께 마땅히 보상을 받아야 되겄지라우."

"여보쇼, 말도 안 되는 소리 하덜 마란게. 난 맞은 적이 없어서 보상금 받을 아무런 이유도 없단 말이여."

아버지가 펄쩍 뛰며 화를 내더니 대문 밖이며 담장 주변을 살폈다. 그 눈빛 속에 두려움이 가득 묻어 있었다. 주변에 이상한 사람이 없었는데, 아버지가 뭔가에 놀란 사람처럼 후다닥 골방 속으로 숨어버렸다.

나중에 알게 된 사실이지만, 보상금 미수령자는 '극렬 대상자 분류 기준' B등급이며 '대정부 불만 포지자'로 엉뚱하게도 낙인 찍혔다. 하지만 아버지는 그런 것과 전혀 상관이 없는, 평범하게 살아왔던 한 사내였을 뿐이었다. 아버지는 자살을 한 것이 아니라 잘못된 사회가 죽음의 구렁텅이로 밀어 넣어 생의 종지부를 찍게 만들었던 희생양이기도 했다.

나는 아버지를 떠나보내고, 엄마와 같이 고향집으로 갔다. 아버지의 빈자리로 인해 집안 분위기가 적막하고 황폐한 공간으로 바뀌었다. 엄마와 나는 서로를 껴안고 아직 남아 있는 가슴속의 한을 삭이고 있었다.

얼마나 통곡했던지, 어지러운 머리를 진정시키려고 툇마루에 앉아서 흘러가는 구름을 멍하니 바라볼 때였다. 어디선가 이상야릇한 소리가 들려왔다. 나는 그게 무슨 소리인지 금세 알아차렸다. 툇마루에서 벌떡 일어나 아버지의 골방으로 달려갔다.

골방 문을 열었다. 어웅한 골방의 퀴퀴한 냄새가 예전 그대로였다. 하지만 아직도 살아 있을 것만 같은 아버지는 없었다. 그 공간을 혼자 지키고 있던 고슴도치가 경계의 빛을 드러내며 털을 곤두세웠다. 아버지처럼 녀석의 머리를 쓰다듬어 주고 싶었으나 용기가 나질 않아 그만두었다. 고슴도치가 들어 있는 플라스틱 상자를 들고 골방을 나왔다. 녀석이 아버지에게 그랬던 것처럼, 내 앞에서 벌러덩 드러누워 배를 드러내게 해 주고 싶었다.

"쉭! 쉭!"

고슴도치가 불안했는지 경계의 소리를 질렀다.

"도치야, 스읍! 스읍! 스읍!"

나는 아버지가 녀석을 달래기 위해 했던 소리를 여태 잊지 않고 부르고 있었다.

마흔 줄의 미망(迷妄)

새벽 5시. 전화벨 소리가 느닷없이 울리더군요. 그 순간 불길한 징조를 느꼈죠. 같은 전화 벨소리라도 느낌이 다른 날이 있거든요. 마흔 줄에 들어선 여자의 육감은 보통이 아닌 법이지요. 그만한 세월이면 세상물정을 어느 정도 파악할 수 있을 때고, 어느 정도 단맛 쓴맛을 봤을 때 아니겠어요. 아무튼 그 전화벨 소리는 칠흑의 어둠으로 짠 후릿그물이 나를 덮칠 것 같은 기세였고, 정체불명의 뭔가가 나를 무저갱 속으로 밀어 넣어 끝없이 추락하는 기분이 들도록 만들었어요.

잠에 취한 세만이 벌떡 일어나서 전화기를 낚아 챘어요. 우리 주유소 직원이 도둑이 들었다는 이야기를 전해주었죠. 그는 맨 먼저 책상은 어떠냐고 묻더군요. 자다가 봉창 두드린다더니, 주유소에 도둑 들었다는 소리를 듣고 책상 타령이라니요? 글쎄요,

금고에 보관해 두었을 현금은 걱정 안 하나요? 전화를 끊은 그의 어깨가 축 늘어지더니, 운동화도 제대로 신지 못하고 급하게 뛰어나가더군요. 열린 현관문으로 차가운 바람이 들어와 뼛속까지 시렸어요. 나도 도난 사건이 궁금하고 걱정되어서 급히 뒤따라 그의 차량에 동승했죠.

차창 밖은 안개가 자욱했죠. 도난 사건만 아니라면 그 연무가 빚어내는 장관을 감탄하며 지켜보았겠죠. 그런데 사무실로 당장 가 봐야 하는 터라 낭만은커녕 짜증만 불러일으키더군요. 아니, 그 안개는 낭만이나 짜증보다 혼돈과 미망이라고 표현해야지 정확할 거예요. 시야가 흐려서 운전하기 불편할 텐데, 세만은 비상등을 켜고 속력을 내서 달렸어요. 나는 별일 없을 테니 침착하게 대처하자고 그를 달랬죠. 그런데 제 속은 타들어 가고 있었어요. 나는 그때까지 어둠으로 짠 후릿그물에서 벗어나지 못한 채 바동거리고 있었거든요.

나는 애들 셋을 키우면서 사이버대학을 통해 공부하고 있답니다. 그 나이에 무슨 공부냐고요. 애들 교육비가 어디 한두 푼이라야지 말이죠. 궁여지책으로 선택한 공부였습니다. 그런데 공부하다 보니 그런대로 재미가 있더군요. 곧 논술 자격증을 취득할 거예요. 논술학원 강사라도 하면 가정 형편이 좀 나아지겠죠. 사정을 모르는 사람들은 여자가 설친다고 비난할지 모르겠지만, 오죽하면 내가 생활전선에 나설 생각을 했겠어요. 애들이란 낳기만 하면 자기들이 스스로 자란다는 말이 있긴 하지만, 요즘 세상이 어디 그러던가요. 밑 빠진 독에 물을 붓는 것처럼 엄청나게 투자해도 간신히 자랄까 말까 하는 세상인 걸요, 뭐. 나는 마흔을 먹을 때까지 어떻게 살아왔는지 전혀 기억나지 않을 정도예요. 허위단심으로 삼십 대를 넘었으니까 말예요.

주유소에 도착하자 직원 혼자서 화물차에 주유를 하고 있더군요. 사무실 바닥에는 유리 파편들이 어지럽게 흩어져 있었어요. 고개를 들어 사무실 창문을 살펴봤죠. 깨진 유리창이 마치 거미집처럼 보여서 소름이 돋더군요. 거대한 거미가 갑자기 나타나서 '큰턱'을 움찔거리며 날카로운 이빨로 나를 찌를 것 같았거든요. 만약에 그 이빨에 찔리기만 하면, 내가 녀석의 소화액에 녹아서 한 끼의 맛난 아침식사가 되어 버리겠죠. 만에 하나라도 그런 일이 벌어지면 안 되겠죠. 나는 여태 고생만 하다가 이젠 발 뻗고 좀 편안하게 살아야 할 마흔 줄에 서 있는 여자란 말예요.

당직자가 밤새 숙직실에 있었는데, 도둑이라니요? 언제나 한 명은 주유소를 지키고 있으니 안심하고 지냈죠. 그런데 도둑을 맞으려면 개도 안 짖는다고 하더니 귀신 곡할 노릇이지 뭡니까. 나는 외부 침입자가 있는지 둘러보았어요. 제가 예전에 주유소 근무를 해 봐서 내부 구조를 잘 알고 있는 편이에요. 그때 경리가 두 명인데 한 명이 그만둬서 한동안 내가 근무하게 되었죠. 그러다가 아이가 한 명 더 생기자 그만두었답니다. 주유소의 문은 사무실 앞문과 뒷문, 취사실의 창문 등이에요. 화장실 창문 위에 뭔가 희미하게 보였어요. 먼지가 쌓여 있어서 자세히 알 수 없었지만 발자국 같았어요. 그래서 외부침입의 족적이 아닐까, 하는 생각이 들더군요.

세만은 사무실에 들어서자마자 책상부터 살피더군요. 그의 책상 서랍이 망가진 채 사무실 바닥에 나뒹굴고, 서류들이 흩어져 있었죠. 그 서류더미 속에서 사진 몇 장이 삐죽이 빠져나와 있었어요. 그는 사진과 서류를 황급히 감췄죠. 도대체 무슨 사진이었을까요? 나는 그가 당연히 금고부터 확인할 줄 알았거든요. 그런데 서류와 사진부터 챙기는 광경을 목격하자 뭔가 이상하다는 생각이 들었어요. 그는 나를 흘깃 쳐다보고 태연한 척하더군요. 혹시 그 사진은 포르노그래피가 아니었을까요? 나는 입속말로, 이놈의 인간아, 나이를 먹을 만큼 먹었어도 예쁜 여자만 보면 침을 질질 흘리고 있어. 이젠 그만 발악하라고 쫑알댔죠. 그가 감춘 서류는 비밀장부처럼 보였어요. 그래서 얼마나 꿍쳤는지 다그치려다가 그만 참았어요. 장소가 직장인지라 그럴 수밖에 없었죠. 최소한 직원들 앞에서 만큼은 소장이라는 그의 위신을 지켜 주고 싶었거든요.

주유소는 세만이 어렵게 들어온 직장이죠. 은행에만 들어가려고 다른 직장은 외면하던 그가 어쩔 수 없이 주유소에 들어가게 된 거예요. 목구멍이 포도청이라고 했잖아요. 그 당시, 대학을 나온 사람만 정유 회사에 입사할 수 있었어요. 세만이 은행에 합격했지만 면접에서 재정 보증이 약하다고 떨어지곤 했어요. 그러다가 친구의 작은 아버지 소개로 정유 회사에 들어가게 되었던 거죠. 처음에는 자존심 상한다고 데면데면하게 굴더군요. 첫날 퇴근하고 왔는데 옷 한 벌이 모두 기름으로 젖어 있었죠. 화물차에 기름 넣다가 주유기 호수가 튕겨져 나갔다고 했어요. 그런 그의 모습을 보고 마음이 짠했죠. 그날 신고식을 혹독하게 치르고 그만둘 것처럼 불퉁거렸죠. 그런데 시간이 지날수록 그런대로 잘 적응해 나갔죠. 아무래도 현금을 만지다 보니 부수입이 짭짤하게 생겼던 모양이에요. 어쨌거나 입사한 지 일 년 만에 주임에서 어엿한 주유소 소장이 되었으니, 그는 능력이 대단한 사람이죠.

도둑이 어디로 들어온 겁니까?

어휴, 세상에나 만상에나. 신고한 지 두 시간 만에 꾸물거리며 나타난 형사들이 질문하는 꼬락서니 좀 보세요. 도대체 누가 누구에게 묻는 거죠? 그런 것은 형사들이 수사해야 하는 거 아닌가요. 그야말로 짬뽕이 웃다가 면발 찢어지는 상황이었어요. 제기랄, 누구 염장 지를 일 있습니까. 그런데 세만은 배알도 없는지 머리를 굽실거리며 친절하게 대하더군요. 그가 나의 눈치를 슬슬 보면서 말했죠. 책상 서랍에 돈이 들어 있었는데 도난당했다고요. 그럴 줄 알았다니까요. 사무실에 들어오자마자 책상부터 챙

길 때 알아봤죠.

글쎄, 도둑맞은 돈이 사백만 원 정도라네요. 세상에, 그 돈에 몇 푼 더 보태면 이 인간 두 달 치 월급이에요. 괘씸한 생각이 들어 숨이 턱, 막혔지만 용케 참았어요. 그의 종종거리는 걸음새와 말꼬리를 숨기는 음흉한 모습이 무척 거슬리더군요. 속이 터질 것 같았지만 참을 수밖에 없었어요.

사건 현장은 초동수사가 중요하다더군요. 지겨운 표정으로 뒤뚱뒤뚱 걸어 다니는 형사들의 굼뜬 동작 좀 보세요. 신발을 땅에 질질 끌며 걷다가 돌부리에 넘어지기라도 할 것 같았죠. 어젯밤에 밤새 쪼그리고 앉아 고스톱이라도 쳤나 봐요. 새끼 마담 젖가슴 주무르면서 고스톱으로 돈을 잃어서 피곤했나 보죠. 형사랍시고 찾아온 두 명 모두 느물거리는 게 신뢰가 가지 않네요. 형사 한 사람은 누룩 빚어 놓은 것처럼 얼굴이 누렇게 뜬 데다 깡마른 수숫대처럼 키가 컸죠. 또 한 사람은 땅꼬마처럼 생겨서 밥값이 아까울 정도로 기동성이 떨어져 보였어요. 게다가 힘 빠진 눈깔들이 죽을 날 받아 놓은 중환자마냥 풀어진 상태였죠. 그런 꼬락서니로 범인을 잡겠다니, 소만 웃는 게 아니라 모든 동물들 특히 곤충들도 웃을 일이었죠. 성미 같아선 그들의 얼굴에 휘발유라도 끼얹어 주고 싶었어요. 형사들은 더 이상 단서 찾을 궁리는 안 하고 앉을 자리부터 찾더라고요.

감시카메라 있죠? 좀 볼까요?

형사의 말이 다분히 사무적이었어요.

아, 어제 고장 나서 오늘 수리기사가 오기로 했어요.

아니, 뭔 개풀 뜯어 먹는 소리예요. 감시카메라가 고장이라니요. 저러니 이 인간을 어떻게 믿고 사느냐고요.

고장 났다고요?

형사가 한심하다는 듯 세만을 보더군요. 옆에 있는 나까지 쳐다볼까 봐 창피했어요.

아이고, 무슨 놈의 날씨가 이렇게 더운지 모르겠구먼.

땅꼬마 형사가 손수건을 꺼내 이마의 땀을 닦기 시작했죠. 엄연히 에어컨이 가동되고 있었는데 엄살을 부리는 거였어요. 나는 취사실 냉장고에서 냉매실차 두 잔을 가져와 그들 앞에 대령했죠.

아따! 징허게 시원하구만.

땅꼬마 형사가 단숨에 들이키더군요. 형사들은 신고를 한 직원에게 사건 정황을 듣고 현장을 다시 돌아보았죠. 그들은 두 군데의 출입문을 살펴보고 고개를 갸웃거렸어요. 형사들이 사건현장을 둘러보면서 서랍 속에 넣어 두었다는 돈의 출처를 물었죠. 세만은 한참을 생각하더니 이내 회사 공금이라고 했어요. 공금이라면 금고에 두지 않고 왜 서랍에 넣어 두었던 걸까요. 일종의 비자금이었을 테고, 나한테 들키지 않으려고 그랬던 거겠죠. 그의 표정이 '모든 건 당신 때문이었어' 라고 하는 것 같았거든요. 나는 그런 그에게 화가 났죠. 행여 그에 대한 불만이 제 얼굴에 드러나지 않도록 창가로 갔어요. 창밖의 풍경을 바라봤죠. 그날은 푹푹 찔 것 같았어요. 안개가 끼면 중머리 벗어진다는 말이 있잖아요. 게다가 속 터지는 일들이 진행되고 있으니 푹푹 찌지 않고 배기겠어요.

다음 날 직원들과 아르바이트 주유원들이 경찰서에 불려가 조사를 받았죠. 나도 세만을 따라 경찰서에 갔어요. 가만히 앉아 있으면 좀이 쑤실 것 같았거든요. 사무실 탁자를 사이에 두고 형사와 직원들이 앉아 있었죠.

전원 대면조사 원칙이라는 게 있습니다. 일단 신고가 들어오면 심문을 해야 하니 협조해 주세요.

형사의 그런 말이 귀에 약간 거슬리더군요. 현장 조사는 대충 끝내 버리고, 대면조사로 범인을 잡으려 하다니 이게 말이나 됩니까. 그러니까 독심술을 써서 범인을 잡겠다는 거예요, 아니면 범인이 자백하기를 기다린다는 거예요 뭐예요. 나 원 참.

그날 당직자가 누구였죠?

형사는 처음 신고했던 직원에게 물었지요. 그 직원은 키가 작은데다 코가 뭉툭하면서 순진한 인상을 풍기긴 했지만 뱁새눈이라서 어딘지 모르게 의심이 들긴 했죠.

네. 접니다.

직원은 이런 일에 휘말려서 기분 나쁜 듯 불퉁거렸죠.

도둑맞은 시간이 몇 시쯤이었죠?

아마, 새벽 3시 이후였을 겁니다. 그 시간까지 텔레비전을 봤거든요.

거짓말하면 위증죄라는 거 알죠.

형사는 다분히 사무적이고 기계적인 말을 뱉었어요. 거짓말하면 위증죄에 걸린다는 소리는 누구에게나 던져 보는 거겠죠. 일종의 겁박 같은 거니까요.

아침 5시부터 정상적인 영업을 시작합니다. 숙직실에서 나와 보니까 사무실 유리창이 깨져 있더라고요. 그때가 바로 5시였어요. 직감적으로, 도난사건이 발생했다는 것을 알았습니다.

그럼 어떻게 대처했나요?

부랴부랴, 소장님 댁에 전화로 알렸습니다. 도난사건이 발생한 것 같다고 말입니다.

새벽 시간에 주유소에 오는 손님이 별로 없죠?

그렇습니다. 장거리 뛰는 덤프트럭 기사들이 가끔 있긴 하지만, 제가 야간근무하면서 지켜보면 손에 꼽을 정도였어요.

외부 침입자가 어느 쪽 문으로 들어왔나요?

아니, 어느 쪽 문으로 들어왔냐고 심문하다니요? 이러니 이 형사를 믿을 수 있겠어요. 그걸 본인이 알아내야지, 직원이 어떻게 알겠어요. 그리고 우리가 침입자에 대해서 훤히 알고 있으면 뭐 하러 여기 왔겠어요.

창문을 깨고 들어온 것 같습니다. 창문이 깨졌으니까 말입니다.

창문을 깨면 경보음이 울리고 감시카메라에 찍혀서 쉽게 발각되지 않나요?

어제 감시카메라가 고장 났다고 말했을 텐데요.

직원이 귀찮다는 듯 회전의자를 돌리며 말했죠. 그 내용을 다시 묻는 형사의 의도는 뭘까요. 사건 조서도 제대로 보지 않은 모양이죠. 귀찮았던 걸까요. 우리들 세금으로 월급 받는 형사가 이래도 되는 건가요.

마치 핑퐁게임처럼, 두 사람은 끝없이 묻고 대답했죠.

밤새 뭐했어요?

예? 뭐하다뇨? 3시까지 텔레비전을 보다가 졸려서 잠잤다니까 그러세요.

근무하지 않고 잠잤다고요?

그럼요. 주유소 숙직이라는 게 군대의 불침번과 다르거든요.

그건 그렇다 치고, 유리창 깨지는 소리를 못 들었던 모양인데 어떻게 그럴 수 있죠?

형사가 직원에게 기습적인 공격을 했어요. 핑퐁게임으로 치자면, 보스커트 하다가 갑자기 돌아서서 스매싱을 하거나 드라이브를 걸었다고나 할까요? 비로소 밥값 하는 것처럼 보였어요.

잠귀가 밝지 않으면 그럴 수도 있는 거 아닙니까. 그럼 제가 그 유리창을 깨고 안으로 침입했단 말입니까?

꼭 그렇다는 이야기는 아니고…… 정황상으론 내부 소행 같아 보여요.

뭐요! 절 의심하는 겁니까.

직원이 발끈하며 자신의 결백을 주장했어요.

이봐요. 흥분하지 말고 진정하세요. 뭐, 어차피 조사하면 다 드러날 테니까 흥분하지 마시라니까.

형사는 참고인 조사 시 필요한 내용을 진술서에 타이핑하면서 심문을 이어 갔죠. 타이핑한 내용을 반복해서 읽어 보고 앞뒤 문장이 맞지 않으면 수정하면서 조사를 계속하고 있더군요.

형사는 직원들에 대해 심문을 끝내고 자리에서 일어나더니 기지개를 늘어지게 폈습니다. '독수리타법' 으로 타이핑하느라 고생했고, 사무적인 질문을 던지느라 본인 스스로 지루했겠죠. 형사는 다음에 참고인으로 부르게 되면 잘 협조해 달라는 말을 덧붙이면서 하품을 날리기까지 했어요. 젠장, 나는 그의 입속에 썩은 감자를 한 바가지 퍼 넣고 싶은 심정이었죠. 그건 마흔 줄에 접어든 여자의 히스테리가 절대로 아니고, '민중의 지팡이' 라는 자가 진짜 지팡이를 짚고 다리 후들거리며 걷는 늙다리처럼 보였기 때문이에요.

직원들은 주유소에 돌아와서도 서로 의심받을까 신경 쓰면서 말을 아끼는 것 같았어요. 서로 눈치를 보면서 맡은 일을 하고 있었죠. 나는 직원들 가운데 평소와 다르게 수상쩍은 행동을 하는 사람이 있는지 주의 깊게 살펴보기 시작했어요.

당신이 그러다가 명예훼손에 무고죄로 구속될 수도 있다고. 알아?

세만은 자기가 해결한다며 제가 끼어드는 것을 완강히 말렸어요.

아니, 내가 뭐라고 했어요. 은밀히 지켜보기만 하는 것도 죄가 되나요?

나는 누가 뭐라고 하든 말든 밀어붙이기로 했어요. 직원 중에 MP3 플레이어로 음악을 들으면서 태연한 척 행동하는 사람이 눈에 포착되었죠. 거머리처럼 달라붙어 뒷조사에 들어갔습니다. 또 도난 사건이 일어난 날, 주유소 뒤뜰 화단에서 발자국이 발견되었답니다. 성능 좋은 소니 A6500 카메라로 그 발자국을 찍어서 현상을 했죠. 현상 결과 그 신발은 주유원 중 누군가가 벗어놓고 간 작업화였어요. 뭔가 실마리를 풀어낼 수 있을지도 모른다는 기대감이 들었죠. 하지만 이런 때일수록 침착하고 냉정하게 대처하기로 마음먹었답니다. 누군가가 수사에 혼선을 주려고 일부러 다른 사람의 운동화를 신고 범행을 저질렀을지도 모르잖아요. 경솔하게 굴다가 범인의 비웃음거리가 되는 건 싫었어요.

또 한 명의 직원이 포충망처럼 펼쳐 놓은 내 시야에 포착되기 시작했죠. 그 직원은 화장실을 유난히 자주 가더군요. 책상에 앉아서도 다리를 덜덜, 떨고 있더라고요. 그 진동으로 책상 위에 놓인 볼펜이 중심을 잃고 흔들리기까지 했죠. 게다가 그 직원은 불안한 듯 눈을 갸름하게 뜨고 주변을 살피기도 했어요. 그러면서 안경코를 손으로 올렸다가 내리기를 반복하면서 태연한 척 딴청을 부리더군요. 그 모습이 부자연스럽고 불안해 보여서 그 직원을 조심스럽게 미행하기로 작정했어요. 사무실 옆 카센터에 숨어서 지켜보기도 했죠.

그런 나와는 달리 세만은 그날도 시간 때우기 고스톱 삼매경에 빠져 있더군요. 고스톱 판의 선수들은 화물차 기사들이 주 멤버였지만 옆 가게 사장들이 간혹 끼어들었죠. 어떤 때는 경찰 나리들까지 끼어들더라고요. 그들은 "고고, 쓰리고!"라고 외치며 즐거운 비명을 지르더군요. 화투판을 걷어서 큰 도로 위에 뿌려 버리고 싶었죠. 비. 풍, 초, 똥, 팔, 삼, 그런 동양화들이 큰 도로에 널리면 질주하는 차량의 바퀴들이 무참히 짓밟아 버릴 것 아니겠어요.

예전에 고스톱 치느라 수금을 소홀히 한 세만을 파출소에 전화해서 고발했죠. 하지만 그가 파출소 직원들과 친분이 있는 터라 모르쇠로 일관하는 바람에 해프닝이 되고 말았어요. 나만 꽁지 빠진 새가 되어버렸어요.

고스톱 버릇은 나중에 잡더라도 우선은 현금 도둑 잡는 데 주력해야겠죠. 마침 주유소 화단 옆 야산에 검은 모자를 깊이 눌러 쓴 왜소한 체격의 남자가 보였어요. 그 남자는 주유소에 딸린 외부의 화장실에 가는 척하더니 주차장에 세워진 고가의 바이크를 타고 바람처럼 사라졌어요. 알고 보니 우리 주요소 직원 중 한 명이었어요.

세만에게 물어보니 은행에 심부름 보냈다고 하더군요. 그 직원의 월급은 백여만 원에 불과했죠. 그런데도 최근에 고가의 쿼터급 최강 레플리카 야마하 R3 바이크를 일시불로 구입해서 타고 다녔어요. 물증도 없는데 돈 씀씀이가 헤픈 것만으로 범인이라고 단정하기 어렵겠죠. 평상시 과묵하고 성실한 직원이라서 함부로 의심한다는 건 큰 죄악일 수 있었어요. 인간적인 대화로 설득해 나가자고 작전을 세웠죠. 사무실의 젊은 여직원도 범인일 가능성이 높았어요. 수입에 비해 씀씀이가 헤펐거든요. 얼마 되지도 않는 월급을 받으면서 유명메이커 정장을 입고 다녔죠. 그것도 모자라 고가의 루이뷔통 명품 가방까지 메고 다니는 걸 본 적이 있거든요. 게다가 남자친구와 나이트클럽에도 자주 간다고 자랑했죠. 자기가 주로 돈을 낸다며 자랑삼아 떠들기도 하더라고요. 제가 그 여자의 젊음을 시기 질투하는 건 결코 아니에요. 씀씀이가 커서 용의선상에 일단 올려놓은 거죠. 어허, 이러고 보니 우리 주유소 직원들 모두가 용의자인 셈이네요. 갑자기 머리가 어지럽군요. 벌써 갱년기에 접어든 것은 아닐 텐데 말예요.

퇴근 시간이 가까워지자 세만은 아무 일 없다는 듯 화투판에서 돌아오더군요. 직원들과 주유원들을 향해, 이럴 때일수록 고객들에게 친절하게 대하세요. 자칫 방심하다가는 판매량이 떨어질 수 있으니 고삐를 단단히 매고 업무에 집중하자고 경고와 당부를 곁들이더군요.

형사들은 사건의 진상을 밝혀서 범인을 체포하기보다 시간이 흘러 도난사건이 흐지부지해지기를 기다리는 것 같았어요. 세만은 안 되겠는지 경찰서로 전화를 해서 형사들한테 점심식사나 같이하자고 말하더군요. 왜 그랬을까요? 당연히, 범인을 잡고 싶었던 거겠죠. 그런데 땅꼬마 형사가, 조금 바쁘긴 하지만 식사 초대에 응하겠다고 하더랍니다. 얼레, 바쁘기는 뭐가 바빠요. 거드름을 피운 거겠죠.

점심시간이 되자, 예약한 횟집에 세만과 함께 갔죠. 그곳에서 형사들과 마주 앉아 식사가 나올 동안 점당 천 원의 고스톱 판을 벌이기 시작하더라고요. 허참! 주유소에서 하던 고스톱도 부족해서 식당에서까지, 죽이 잘 맞는다고 할까요? 저렇게 고스톱 치듯 도둑 잡았으면 진즉에 열 번이라도 잡고도 남았겠죠.

오락은 우리처럼 건전하게 해야 합니다. 안 그렇습니까, 형사님들. 그런데 어떻게 일이 잘 진행되고 있습니까?

식사가 나오자, 그가 살이 포동포동한 농어회를 상추쌈해서 형사들에게 건네며 너스레를 떨더라고요. 아이고, 농어가 배 속에서 춤을 추겠네, 하면서 형사 양반 나리들이 게트림을 하더군요. 그러더니 웬걸, 엉뚱한 소리가 튀어나왔어요.

에이, 정 소장! 소액 사건이니 그냥 종결합시다.

아니, 저 소리가 뭔 소리예요. 소액 사건이라니요. 세만의 두 달 치 월급과 비슷한 돈이잖아요. 그런데 뭐, 소액이니 종결이니 자기 마음대로 지껄여도 되나요? 아니, 우리가 이런 소리 들으려고 식사 대접한 줄 아나보죠.

김 형사님 농담도 할 줄 아시나 봐요. 이거 왜 이러세요. 그 돈은 우리한테 아주 큰돈이에요. 우리 주부들은 오백 원, 천 원 깎으려고 얼마나 통사정하는데요.

나는 비음 섞인 목소리로 솜사탕을 녹이듯 부드럽게 말했죠. 김 형사는 처리할 사건이 많아서 그런 것이니 오해 말라며 둘러대더군요. 물론 일부에 해당된 이야기지만, 경찰이 되면 그때부터 달라지기 시작하는 사람도 있죠. 국민의 안전과 재산을 보호해야 할 의무는 잊고 권력을 이용해 재미를 보려고 해요. 그건 〈투캅스〉란 영화에서 잘 드러나잖아요.

제가 상당히 바쁩니다. 각종 성폭행 사건, 살인사건, 은행 강도사건, 부동산 투기사건 등 해결할 게 좀 많아야 말이죠.

김 형사가 양해를 구하는 척하면서 깐죽거리더군요.

바쁘시다니, 그 경찰서는 김 형사님 혼자서 범인을 다 잡으시러 다니시나 보죠.

내 심정이 불쾌해져서 비꼬아 말할 수밖에 없었죠.

예, 꼭 그런 것은 아니지만…… 세상이 워낙 포악해서 사건들이 엄청나게 발생합니다. 더 큰 사건부터 해결하고, 주유소 건은 차후에 해결해 봅시다. 꼭 해결해드리겠습니다. 믿어 주세요.

김 형사는 먹을 것 다 먹었으니 더 이상 볼일 없다는 듯 자리를 떴죠.

본사에서 도난사건 조사차 상무가 찾아왔어요. 세만은 잃어버린 돈이 회사 공금 일부라고 설명하더군요. 그건 공금이 아닌 게 분명해요. 공금은 금고 속에 넣어 두거든요. 도난당한 돈은 그의 비자금이라는 게 확실해요. 그것도 우리 주유소에서 몰래 꿍쳐 만들어 놓은 비자금 말예요. 감시카메라가 고장이 났을 때 도난당했다는 것이 좀 이상해요. 그건 우연의 일치였을까요?

세만은 숨겨 둔 돈을 도난당해서 원통하겠죠. 아무도 몰래 그 돈을 맛나게 꿀꺽할 심산이었겠지만 그게 뜻대로 되지 않았던 거예요. 그는 그 비자금을 어디에 쓰려고 했던 걸까요. 도박자금으로? 룸살롱 마담의 스커트 속으로? 도대체 알 수 없네요.

나는 피곤하기도 하고 그런 세만이 못마땅해 잠시 쉬려고 숙직실로 들어갔죠. 벽 쪽으로 비스듬히 기대고 앉았는데, 옷걸이에 걸려 있는 세만의 외출복 바지가 눈에 띄더군요. 나도 모르게 자리에서 벌떡 일어나 세만의 바지 주머니를 뒤지기 시작했죠. 앙칼진 고양이라고 욕하지 마세요. 도난사건 이후에 신경이 날카로워져 있었거든요. 주머니 속에는 잡다한 것들이 많았어요. 구겨진 영수증들과 동전들이 있었죠. 심지어는 어디서 무얼 했는지 작은 모래알갱이까지 나왔어요. 나는 바지 속에서 나온 영수증을 펼쳐 보았어요. 마치 보아서는 안 될 비밀을 훔쳐보는 듯 가슴이 떨렸죠. 어, 이게 뭐죠? 세금납입서라니요! 시어머니가 내야 할 공과금, 대출금 이자, 원금 등 납입 영수증이 수두룩했어요. 그러니까 나랑 한마디 상의도 없이 본가에 돈을 대고 있었던 거죠. 오른쪽 주먹을 꽉 쥐었죠. 부들부들 떨리더라고요. 아이들 학비 때문에 논술학원 강사가 되려고 아등바등하는 나는 보이지 않았던 걸까요? 빈 병 하나 버리지 않고 슈퍼마켓에 가서 몇 푼 되지 않는 돈으로 바꾸어 오는 내 사정을 상상이나 해 봤느냐 이거예요. 그 영수증을 들고 그를 찾아가서 당장이라도 따지고 싶었지만 참았죠. 직원들이 있었으니까요. 그 영수증들을 구겨 그의 바지 주머니에 다시 집어넣었죠.

세만이 잘 하는 건 딱 한 가지가 있답니다. 내 주머니에 있는 돈 냄새에 유난히 민감한 편이에요. 그의 박봉으로 아이 셋 키우기도 빠듯하죠. 그런데도 그 돈을 쪼개서 적금을 들었어요. 그는 만기가 될 때면 돈 냄새를 맡고 뺏어 갔죠. 거래처에 외상값 떼어서 급하다고 죽는 시늉까지 하면서 말이죠.

언제까지 박봉에 허리띠를 졸라매고 살아야 할까요. 하긴 그도 불쌍해요. 회사에서 거래처 외상값까지 책임을 떠넘기는, 살인적인 겁박에 시달리거든요. 우리 주유소 회장님은 세만의 월급이 이백만 원 정도일 뿐인데, 거래처 외상값까지 책임지라고 요구했죠. 거래처에 외상값을 떼이면 월급으로 해결하라고 강요했죠. 그럴 때면 오직 돈밖에 모르는 철면피 아닌 '돈면피' 회장의 엉덩이를 걷어차 주고 싶었어요. 회장의 유일한 관심은 돈밖에 없었어요. 그러니까 돈이라면 호랑이 눈썹도 빼 올 인간이라는 거죠. 돈면피 회장은 직원들 복지 같은 것은 아예 안중에도 없었죠. 오직 부도난 주유소를 인수해서 돈을 버는 데만 몰두했으니까요. 직원들의 임금을 착취하면서 쾌감을 느끼는 악마 같았어요. 소장들이 외상값 수금을 못 하면 기회다 싶었는지 더 옥죄었죠. 회장은 좋을 때는 그들의 비리를 눈감아 주는 척하면서 목표량 달성을 부추겼죠. 그러다가도 목표량에 미달되면 거래처에서 받은 상품권 한 장도 마치 뇌물이라도 받은 것처럼 부풀리며 괴롭혔죠.

사이버대학에서 들었던 강의 중에서 머리에 박혀 있는 이야기가 있어요. 아감벤이 주장하는 '호모 사케르적' 인 인간이 곧바로 세만이었어요. 소장으로서 자신의 능력이나 준비성이 결여된 벌거벗은 인간에 불과했던 것이죠. 박봉에 외상값 수금까지 책임지라고 요구해도 해고당할까 봐 반항은커녕 전전긍긍하던 그를 '호모 사케르' 라고 해도 전혀 무리는 아니겠죠? 회사를 위해 아무리 충성해도 보호받을 수 없는 그 같은 부류들 말이에요.

돈면피 회장님은 돈에 관련된 일이라면 절대 자기의 주장을 굽히지 않았죠. 그는 비굴하고 야비한 방법으로 부를 축적했죠. 세만이 강단 있는 사람이라면 투쟁을 했겠죠. 그러나 그는 반항은커녕 허리를 핸드폰 폴더 접듯이 접어서 깍듯이 인사를 할 정도였어요.

나는 두 주먹을 불끈 쥐고 세만의 퇴근 시간만 기다렸지요. 비자금은 아닐 거라고 믿고 싶었어요. 이번 달에도 월급을 가져다주지 않았거든요. 거래처 외상값을 갚았다고 해서 그냥 믿었죠. 회사 구조상 외상값까지 책임져야 하니까요.

아이들 학원비와 간식비, 보험료, 공과금 등 꼭 필요한 금액은 보험 약관대출을 받아 충당했죠. 외상으로 기름만 많이 판매하면 뭐냐고요. 회장만 배가 불러 가는 거죠. 어쨌거나 살다 보면 나아지려니 하고 세만을 믿었죠. 남편이니까요. 나는 그를 믿는 만큼 절약을 생활신조로 여기며 살 수밖에 없었답니다. 마흔 줄에 들어선 지금까지, 생일날 제대로 된 선물 한 번 받아 본 적 없었어요. 그래도 불평하지 않고 살았는데 이렇게 뒤통수를 맞을 줄 몰랐네요. 비자금을 책상 서랍 속에 나도 몰래 숨겨 두다니 말예요. 그리고 생활고로 시달리는데 본가에는 돈을 펑펑 쓰다니 말예요. 그 비자금도 본가로 들어갈 돈이었을지도 모르겠네요.

막상 집에 도착한 세만을 보니 그놈의 정이 뭐라고 짠해 보였어요. 그동안 함께 살았던 세월이 아까워서 그랬던 거겠죠. 아이,

징글징글해요. '당신한테 난 뭐죠. 허수아비인가요' 라고 따지고 싶었죠. 내 복장 터지는 줄도 모르고, 그는 지금 천하태평하게 자고 있다니까요. 죄는 미워도 사람은 미워하지 말라고 흔히 말하죠. 그런데 막상 당해 보면 사람이 밉지 죄가 미운 건 아니죠. 눈에 보이지 않는 형체를 미워해 봤자 무슨 소용이 있겠어요. 그의 숨소리는 시계 초침 소리보다 더 듣기 싫었죠. 논에서 꽈악꽈악 울어 대는 개구리 울음소리는 가락이라도 있지요. 그의 코 고는 소리는 그야말로 가관이죠. 코를 드르렁 골다가 한참은 조용하다가 다시 반복하거든요. 이제는 이까지 갈면서 눈을 떴다 감았다 천국과 지옥을 자유자재로 넘나드네요. 그 모습이 한심해 코를 잡고 비틀었죠. 놀란 그가 작은 눈만 껌벅이더군요. 잠시 마음이 흔들렸지만 독하게 밀어붙였죠. 지금 편하게 잠이 와. 이야기 좀 해. 소리치며 발로 이불을 걷어차 버렸어요.

에이, 시발!

그가 일어나 협탁 위 탁상시계를 집어 들었죠. 벽에 던지려는 걸 제가 손목을 잡아 저지했죠. 살림살이 하나 부서지면 생돈을 써야 하거든요. 하루 종일 돌아다녀 봐도 땅에 떨어진 임자 없는 동전 한 닢 줍기 힘든 세상이잖아요.

그 돈 비자금이지. 어디에 쓰려고 그랬어?

거래처 수금한 돈이라고 몇 번을 말해야 돼. 내가 언제 거짓말하는 거 봤냐고?

금고는 폼으로 있어? 꿍친 돈이니까 서랍 속에 몰래 넣어 둔 거잖아.

난 꿍친 적 없어. 천하의 정정당당한 정세만이라고.

그는 흥분해 날뛰다가 바닥에 있던 탁상시계에 걸려 넘어졌어요. 체증이 내려간 듯 속이 시원했죠. 그런 와중에 전화벨이 요란하게 울리더군요.

시어머니의 전화였어요. 현지 애비가 전복을 보냈는디 많이 좀 보낼 것이제만. 입맛만 배렸다야. 참, 그라고 농협 이자 돈 나왔지? 돈 조깜 보내 줘야 쓰겄다. 듣고 있냐. 너는 좋겄다. 남편 복 많은께. 현지 애비처럼 착한 아들이 어디 있다냐.

시어머니는 자기 할 말만 하고 전화를 끊었죠.

세상에 이게 뭔 날벼락 같은 소릴까요. 당신한테나 마누라 몰래 돈 대 주는 착한 아들이지, 나한테는 원수도 그런 원수가 없다고요. 그래도 다른 여자한테 돈 쓰는 것보다 낫다고 여기니까 눈 감아 주는 걸 알아야 해요.

순간 눈앞에서 불꽃이 튀는 걸 간신히 다스렸어요. 전화통을 깨부수어도 화가 풀릴 것 같지가 않았죠. 누름단추 다이얼 판을 망치로 두드리면 숫자들이 개구리눈처럼 튀어나오겠죠. 다이얼 숫자판이 차례대로 나와서 나를 위로해 주면 좋겠다 싶었지만 참았지요. 시어머니는 같은 말도 아주 얄밉게 하죠. 버선목 뒤집듯 내 속을 뒤집어 마구 헤집는 묘한 재주가 있어요. 하긴 아들이 사고 친 줄도 모를 테죠. 무슨 자신감인지 자신의 곳간에 넣어 둔 곶감 빼먹듯이 돈 달라는 말을 쉽게 했죠.

직원들이 한 명씩 불려가 조사를 받고 돌아왔어요. 그중에서, 여직원이 화난 표정으로 사무실에 들어서자마자 의자를 발로 차더군요.

에이, 짜증나. 나더러 어쩌라고?

형사들이 여직원을 닦달이라도 했던 모양이죠. 속이 시원해요. 그녀가 범인이 아니라 해도 닦달 당했다면 깨소금 맛보듯 고소하네요. 왜냐고요? 때때로 그녀가 세만을 보는 눈빛이 이상야릇했거든요. 알게 모르게 히프를 흔들며 걸어가는 요염한 자태는 또 어떻고요. 마흔 줄 여자의 눈치는 십 단이 아니라 백 단이라고요. 어느 직원보다 잘 대해 주곤 하던 그의 행동을 목격할 때면 먹은 것 하나 없어도 한 세숫대야는 토해 낼 것 같았어요.

형사들이 여직원을 붙들고 닦달을 했던 것인지 모르겠네요. 왜냐하면 수사를 하는 척하다가 사건을 종결 지으려고 했으니까 말예요. 김 형사는 처음부터 사건을 빨리 해결하기는커녕 시간만 끌면서 방관하는 태도로 일관했죠. 도난사건을 신고했던 것조차 싫어하는 눈치였죠. 이런 거 미제 사건으로 남으면 우리 서만 골치 아픕니다. 이런 식으로 퉁명스럽게 말하더라고요.

아무튼 도난사건으로 인해서 직원들과 아르바이트생 간의 불신의 늪이 깊어졌죠. 그들의 사기가 떨어져 판매 실적이 저조해지자 또 한 번 빈축을 사게 되었어요.

여러 정황상 외부 침입자가 없어서 김 형사에게 직원 두 명을 수사해 달라고 다시 부탁했죠. 김 형사는 나에게 무고죄로 입건될 수 있다는 협박성 발언을 했죠. 죄를 다스려야 할 사람들의 입에서 나올 소리는 아니었죠. 그런 형사 나리들을 믿다가 그가 회사에서 해고라도 당하면 어쩔까요. 유사 휘발유 판매 조직에 가입하게 될지도 몰라요. 그러다가 팔자에도 없는 은팔찌 차고 국립호텔에 가서 공짜 생활하고 공짜 콩밥까지 얻어먹는 신세가 되면 집안 개망신이잖아요.

세만이 관리하는 주유소는 회사 운영방침에 따라 움직였죠. 한 달 동안의 목표량인 오천 드럼의 기름을 팔아야만 했어요. 회의는 일주일에 한 번씩 한답니다. 저녁 여섯 시에 시작된 회의가 열두 시까지 늘어질 때도 있었죠. 각 주유소마다 판매 실적을 비교 분석했죠. 그리고 목표량 미달에 걸려든 주유소를 상대로 불시에 감사가 시작되곤 한답니다.

우리 주유소에도 예고 없이 감사과 직원들이 들이닥친 적이 있었죠. 비리를 하나씩 잡아내고 지능적으로 야비하게 괴롭혔죠. 세만은 얼마나 간이 큰지 설마 하다가 그들이 쳐 놓은 그물에 걸려든 거죠. 근무시간에 화물차 기사들과 화투놀이를 하다 들켰답니다. 그동안에 수많은 비행들을 눈감아 주었어요. 그 이유가 뭐겠어요. 이용할 가치가 아직 남아 있다는 거겠죠. 사실은 회사에서 전혀 모르는 일은 아니었다고 봐야죠. 이틀이 멀다하고 사무실에서 화투를 치면서 노는데, 왜 모르겠어요. 판매실적이 높으니 모르는 척 눈감아 주었던 거죠.

이번 도난사건도 감사과 직원에게 발각되어 회장님의 귀에 들어갔답니다. 거래처에서 외상값 수금한 사백만 원이 입금되지 않고 없어진 것을 알게 된 것이죠. 돈에 이름을 새겨 놓은 것도 아닌데, 나는 어떻게 찾아야 할지 난감했죠. 오죽하면 금고에 있는 돈을 모두 꺼내 돈에다 일련번호를 적어 볼까 생각도 했죠.

사건 발생 일주일 후 본사에서 상무가 찾아왔죠. 나를 흘깃 쳐다보더니 이내 시선을 거두었죠. 견물생심이라고, 수표도 아닌 현금을 보면 누구든 갖고 싶었을 거라고 말했죠. 현금을 회사 서랍 속에 둘 필요가 있냐며 위로하는 척 훈계도 했죠. 그러더니 회장님이 그 사실을 알게 된 이상 어쩔 수 없다고 사표를 받아야겠다며 겁을 주고 떠났죠.

우리 주유소에서는 한 달에 무려 일만 드럼의 기름을 판매했죠. 다른 주유소보다 세 배를 더 팔았던 셈이에요. 본사에서는 목표달성을 해도 더 많이 판매할 것을 요구할 뿐이었죠. 판매에 대한 비법이나 노하우 등은 교육시키지도 않았다고요. 무조건 강요만 한다고, 그가 불만을 털어놓아서 알고 있는 사실이죠. 그는 외상값 책임지는 구조가 심적으로 부담된다며 그만두고 싶다고 말했죠. 목표량을 달성해서 일등을 해도 별반 다르지 않다고 했죠. 회식비는 고작해야 십만 원밖에 지급되지 않았다고 볼멘소리를 했죠. 그와 직원들의 노고에 비해 너무 작은 포상금을 준 거예요. 직원들 회식하기에도 부족한 금액이었죠. 2차로 노래방에 가려면 은행 융자라도 받아야 할 상황이라니까요. 그래서 그는 비자금으로 해결하곤 했죠.

세만은 새벽 여섯 시에 출근해서 자정이 넘어서야 퇴근할 때가 많았어요. 그런 것을 전혀 반영하지 않은 비정한 현실 속에서 근무해야만 했죠. 가진 자들의 이중성이 숨통을 조이고 권력에 따른 횡포는 극에 달했어요. 그것도 부족했는지 작은 손실만 일어나도 끝까지 손해배상을 강요했죠. 회장님은 손해보다 더 큰 금액을 요구하기 일쑤였죠. 부당한 처사에 반항할 것을 대비했는지 세만의 지방 발령이 내려졌어요. 나는 그런 상황을 모두 알고 있어서 사건의 진상이 어서 밝혀지기만 애타게 기다렸죠. 그런데 도난사건을 해결해 주어야 할 형사들이 우리 주유소에 더 이상 나타나지 않는 거예요.

세만은 지방 발령이라는 수모를 당하면서도 남의 일처럼 태연하게 바라보고만 있더군요. 얼마 후, 굼벵이도 아닌 그에게 구르는 재주가 있었는지 상황을 역전시키기 시작했죠. 한 달에 천 드럼 이상 팔아 주는 거래처를 움직였던 거예요. 그 거래처에서 거래를 끊겠다고, 본사에 통보하게 만들었어요. 결국 그것이 방패

막이가 되어 '지방 발령' 이라는 위기를 모면하게 되었답니다. 교과서에서는 강자보다 약한 자의 편에 서야 된다고 가르치죠. 하지만 아이러니하게도 현실은 강자 편에 설 때가 많더군요. 그러한 모순을 바로 현실의 병폐라고 하죠.

사건이 발생한 지 이십 일이 다 되어 가네요. 직원들 월급날이라 세만은 월급을 이미 지불했죠. 며칠 전, 용의자로 지목된 두 명의 월급을 보류하자고 내가 세만에게 말했는데 묵살 당했죠.

어제 직원이 야마하 R3 바이크를 타고 달리고 있을 때였죠. 사무실로 들어가 비상용 삽을 들고 거기 멈추라고 소리 지르면서 나도 모르게 그 삽을 던져 버렸어요. 삽에 걸려, 직원의 야마하 R3바이크가 넘어지면서 시동이 꺼졌죠. 직원은 바닥에 나뒹굴었어요. 다친 데가 없어서 다행이었죠.

내가 지금 돈 때문에 이러는 줄 알아?

증거를 대라고요. 만약에 내가 아니면 무고죄로 신고할 테니까. 각오하세요.

그래 끝까지 오리발을 내밀고 싶겠지. 그러면 과학수사대를 부를 거야.

내 목소리에 위협을 느꼈는지 그 직원이 흘깃 쳐다보더군요.

왜 나만 갖고 그래요. 다른 직원도 늦게까지 근무했으니까 모두 다 용의선상에 있다고요.

그 소리를 들은 다른 직원이 눈초리를 치켜뜨며 덤벼들었지요.

뭐라고. 왜 물귀신작전을 쓰는 거야. 왜 애먼 사람까지 붙잡고 늘어지냔 말이야. 내가 훔쳐갔다는 증거가 있으면 어디 내놔 봐.

직원의 입술이 하얗게 변하면서 거품을 내품었죠.

나는 사무실에 들어서자마자 여직원을 불러냈죠.

나랑 얘기 좀 할까?

왜 그러시죠?

정말 끝까지 모른 척할 거야.

난, 아니라니까요.

이게 어디서 개수작질이야.

여직원이 벌떡 일어나며 의자를 발로 차더군요. 갑자기 세만이 끼어들어 그만하라고 소리를 질렀죠. 그의 말이 끝나기도 전에 여직원이 핸드백을 메고 사무실을 당당하게 걸어 나가더군요. 사표를 내겠다나 뭐라나. 내가 그녀의 목덜미를 잡고 실랑이를 벌이는 사이 택시 한 대가 주유소 앞에 멈췄죠. 여직원이 내 손을 거칠게 밀쳐 내더니 택시 안으로 들어가고 말았지요. 다시 연락을 해도 발신음만 들릴 뿐 통화를 할 수 없었죠.

세만은 뭔가 아쉽고 안타깝다는 듯 여직원이 타고 떠난 택시만 쳐다보고 있었어요. 이젠 내가 찾으려는 것이 뭔지도 모르겠어요. 내가 안달을 부리는 게 잘하는 것인지 못하는 것인지도 모르겠어요. 내가 범인이 아닐까 하는 생각이 들 정도예요. 세상이 왜 이렇게 혼돈에 빠진 건지 모르겠다고요.

그날 새벽 전화 벨소리가 울릴 때부터 알아봤죠. 나를 혼돈과 미망 속으로 몰아넣었던 그 전화 벨소리를 들었을 때 말이죠. 내가 누군지도 모른 채 마흔이 되었네요. 나를 찾아주세요.

구렁이알처럼 소중한 그 돈을 어디서 어떻게 찾아야죠? 도대체 누가 범인인가요? 누가 제발 대답 좀 해 주세요, 네?

카르페 디엠

택시가 J시 외곽에 있는 호텔 앞에 정차했다. 윤미는 여행용 캐리어를 끌고 그 호텔 안으로 들어갔다. 손목시계의 시각을 살펴보았다. 준영과 약속한 시각이 되려면 한참이나 남아서 다행이라고 생각했다.

그동안 윤미는 며칠째 입원 중이었다. 3일 후 위암수술이 예약되어 있는데, 병원에서 도망치듯 빠져나왔다. 그러니까 한 달 전의 건강검진에서 날벼락 같은 위암 진단을 받았다. 그녀는 2년 전에 공단에서 실시하는 건강검진에서 '위축성 위염' 이라는 진단을 받았고, 그동안 약을 계속 복용했다. 나름대로 건강관리를 꾸준히 해 왔기 때문에 별다른 걱정을 하지 않았다. 그런데 전혀 예기치 못했던 상황에 맞닥트렸던 것이다.

'아니야. 그건 거짓말이야. 뭔가 잘못된 게 틀림없어.'

윤미는 자신이 위암에 걸렸다는 것이 도무지 믿어지지 않았다. 위암 진단을 받는 것은 드라마 속에서나 나오는 이야기로만 여기다가 막상 자신에게 그런 변고가 닥치자 극심한 혼란에 빠지고 말았다.

의사는 너무 늦게 찾아왔다며, 일단 수술로 치료해보자고 말했다. 윤미는 그 말을 듣고 '죽음'이라는 단어에 사로잡히고 말았다. 그래서 '진단'을 받았다기보다 '사망 선고'를 받은 것처럼 아득했다. 보통 수술이라면 날카로운 메스가 두렵고 또 통증을 미리 염려했을 터였다. 그런데 암 진단을 받는 순간, 그런 걱정은 전혀 떠오르지 않았고, '죽음'과 '영원한 이별'이라는 단어만이 그녀의 귓속에서 이명처럼 윙윙거렸다.

"아냐, 그럴 리 없어. 아마 오진일 거야."

윤미는 거울 앞에서 혼잣말을 중얼거리며 팔짝팔짝 뛰었다. 그 의사의 진단을 순순히 받아들이고 싶지 않았다. 하지만 혼란 속에서 끝내 빠져나오지 못하고 끝없이 헤맸다. 며칠 후, 정신을 조금 차리자마자 다른 병원의 의사에게 진찰을 받으러 갔다. 그런데 결과는 하나도 달라지지 않았다.

'정말로 암이란 말이지. 이게 꿈이 아닌 현실이란 말이지. 하필이면 내가 그 몹쓸 암에…….'

그녀는 자신이 암에 걸렸다는 것을 인정하는 순간부터 기가 죽어 버렸다. 자포자기에 빠졌다고나 할까. 그런 식으로 나날을 보내는 것이 바보같이 느껴져서 병원을 다시 찾아갔다. 게릴라처럼 찾아온 그 악마로부터 벗어나고 싶었다.

"의사 선생님, 그 어떤 것도 감수할 수 있으니 살려만 주세요."

지푸라기라도 잡고 싶은 심정이었다. 의사는 1차적인 수술 후에 상황을 지켜보고 나서 항암치료 여부를 결정하겠다고 했다.

일단 입원했다. 윤미는 위암에 걸렸다는 사실을 아무에게도 발설하고 싶지 않았다. 설령 알린다고 해도 진정으로 걱정해 주고 위로해 줄 사람이 이 세상에서 몇이나 될까 싶었다. 그런 생각을 하다 보니, 리스먼의 '군중 속의 고독'이라는 단어가 실감났다. 주변에 수많은 사람이 있긴 하지만, 암 진단을 받은 순간부터 외톨이임을 깨달았던 것이다.

윤미는 암에 걸렸다는 것을 알고 나자 지나간 모든 것들이 소중하고 그리워지기 시작했다. 때로 밤샘 작업을 하며 코피를 쏟았던 직장 업무도 아름답고 행복하게 느껴졌다. 불투명한 미래를 걱정하며 두려움에 갇혀 지내기보다 지난 추억들을 반추해 보는 것이 훨씬 행복하다고 판단했다. 그러던 중에 불쑥 떠오른 인물이 준영이었다. 아니, 가슴속 깊은 곳에 똬리를 틀고 있던 그와의 추억들이 적당한 때만을 기다리고 있다가 밤하늘의 불꽃놀이처럼 피어났는지도 모를 일이었다.

윤미는 인터넷으로 미리 예약해 둔 호텔방으로 들어갔다. 그방에는 흰색 시트를 씌운 침대가 놓여 있었다. 정갈할 뿐만 아니라, 편안하게 누워 있기에 안성맞춤일 듯했다. 침대 옆의 큰 거울이 달린 조그만 화장대와 안락의자도 가정집의 집기처럼 편안하게 보였다. 커튼을 살짝 젖히자 건너편에 아름다운 호수가 보였다. 이런 정도면 숙면을 취할 수 있는 조건과 분위기를 잘 갖추고 있는 호텔이었다. 흡족했다.

정수기에서 시원한 물을 한 잔 받아 마셨다. 순간, 위가 따끔거리고 쓰렸다. 메스를 가하듯 명치끝이 쓰라렸다. 핸드백을 뒤적거렸다. 약 봉투가 여러 개였다. 그중에서 진통제를 담아 놓은 봉투를 찾아서 열었다.

윤미는 통증이 멎자 몸을 추스르며 거울 앞에 섰다. 반대편에 있는 자신의 모습이 낯설기만 했다. 미지근한 물로 샤워를 시작했다. 뛰어난 미모는 아니지만, 아직은 젊어서 몸매가 그런대로 미끈했다. 정성껏 씻었다. 준영이 건강해 보이는 자신의 겉모습만 기억해 줬으면 하는 바람이었다. 물론 병든 모습을 눈치채기 어려울 터였다.

욕실에서 나와 헤어 드라이기로 머리를 말렸다. 이어서 습관처럼 텔레비전을 켰다. 아름다운 멜로디가 흘러나오고, 조덕배 가수가 「꿈에」를 부르고 있었다. 어린 시절 고향에 대한 추억과 분위기를 재현하며 노래하기 시작했다.

“이젠 이 따위 음악은 필요 없어.”

리모컨을 눌러 노랫소리를 줄였다. 곧바로 간편한 옷으로 갈아입고 호텔 밖으로 나왔다. 호텔 앞에 큰 호수가 있고, 숲이 연이어 펼쳐져 있었다.

어릴 적, 고향의 저수지 둑에는 싱아가 지천이었다. 그 잎을 따서 입안에 넣으면 새콤달콤해서 사르르 녹았다. 너무 시큼해서 눈이 자신도 모르게 감길 때도 있었다. 마치 윙크하는 줄 오해하기 십상이었다. 싱아는 주전부리가 별로 없던 시골아이들에게 좋은 간식거리였다. 그 시절, 준영은 가을이면 저수지에서 물밤을 따 윤미에게 먼저 내밀었고, 봄이 돌아오면 싱아를 따 주었다. 준영은 윤미의 수호천사였다. 준영이 그렇게 해 주었던 그때 그 시절이, 윤미에게는 가장 아름답고 행복한 추억으로 간직되어 있었다.

숲으로 난 산책길은 잘 정비되어 있었다. 바람이 스쳐 지나갈 때마다, 푸나무서리에서 싱그러운 냄새가 흘러나와 코끝을 간질였다. 호수를 돌아 먼 산을 바라보았다. 산책길에는 닭의장풀, 달맞이꽃, 금강초롱, 미나리아재비 등이 다투지 않듯 다투면서 저마다 자신들의 자태를 뽐내고 있었다.

윤미는 구두와 스타킹을 벗어서 핸드백에 넣었다. 숲의 기운을 맨발로 느끼고 싶었다. 그녀의 몸속으로 알 수 없는 기운이 서서히 스며들었다. 그녀의 몸이 자연과 하나가 되면서 편안한 느낌과 함께 카타르시스를 느꼈다.

호숫가는 적막했다. 그녀는 호수 옆 산책길을 걸으며 손거울을 꺼내 들었다. 거울로 자신의 모습을 바라보았다. 거울 속의 윤미는 숲의 일원이요, 어느덧 자연과 하나가 되어 있었다. 그녀가 나무였고, 그녀가 호수였고, 그녀가 푸른 하늘이었다. 몽환의 기운에 서서히 휩싸이며 달뜨기 시작했다.

"숲에 가면 거울로 자신을 바라보세요."

그런 이야기를 해 주었던 사람은 윤미 또래의 숲 해설사였다. 그는 지난번에 윤미가 디자인한 책의 저자이기도 했다. 그 저자는 피톤치드가 강물처럼 흐르는 숲의 생명력과 치유력을 강조했다. 윤미는 숲 속에 안기자 건강한 사람인 양, 위암으로 고생하는 환자라는 사실을 망각할 지경이었다.

상수리나무에서 다람쥐 한 마리가 내려와 서로 친구하자는 듯 천진난만한 눈망울을 또르르 굴리기 시작했다. 사랑스럽고 귀여웠다. 환한 웃음으로 답해 주었다. 다람쥐가 탐스러운 꼬리를 감았다 폈다를 반복하더니, 뒤따라오라는 듯 더 깊은 숲 속으로 들어갔다. 모든 것을 두고, 또 내려놓고, 그 애를 따라가고 싶었다. 하지만 준영과의 약속 때문에 손을 흔들어 주기만 했다. 인간에게 만약에 후생이 있다면, 윤미는 방금 만났던 그런 다람쥐로 태어나고 싶었다.

잠시 후, 호텔방으로 돌아온 윤미는 화장대 앞에 아래쪽으로 처진 듯이 앉았다. 거울을 통해 자신의 모습을 들여다보았다. 병약하고 수심 많은 여자가 거울 속에 들어 있었다. 막다른 골목에서 낯선 누군가와 맞닥트린 것 같은 느낌이 들었다. 그 낯선 여자가 자신이라는 것을 잘 알고 있으면서도 몸을 뒤로 젖히며 피하려고 했다. 부질없는 짓이었다.

'창백한 얼굴, 깊이를 알 수 없는 수심, 병약한 모습을 화장으로 감쪽같이 덮어 버려야 한다.'

윤미는 준영에게 자신의 초라한 모습을 보여 주고 싶지 않았다. 기초화장에 이어 분홍색 펄이 들어간 아이새도우를 진하게 발랐다. 그 어느 때보다 화장에 열중했다. 입술에 진분홍색 립스틱을 진하게 덧칠하고 나니 병색이 감춰지면서 생동감이 되살아나고 있었다. 화장은 트릭이라기보다 환골탈태의 묘약일지도 몰랐다.

준영과 약속했던 호텔 지하의 레스토랑으로 내려갔다. 준영의 모습은 보이지 않았다. 그곳은 대도시의 레스토랑처럼 잘 꾸며져 있었다. 무대 위에서 라이브 가수가 통기타를 치며 퀸의 「러브 오브 마이 라이프」를 부르고 있었다.

"당신은 기억할 거예요. 이 모든 것이 사라져 버리면 그리고 모든 것은 끝이 나겠죠. 내가 나이가 들면 당신의 곁에 있을 거예요. 그때까지도 당신을 얼마나 사랑하는지 알려 줄 거예요. 당신을 여전히 사랑해요."

그 노랫소리와 함께 준영의 모습이 생생하게 피어났다. 심장이 뛰기 시작했다. 살아오는 동안 오늘 비로소 심장이 뛴다는 것을 인식하게 된 듯싶었다. 그저 밥 먹고, 커피 마시고, 잠을 자고, 늘어지게 기지개를 켜는 하나의 사이보그처럼 삶이라는 쳇바퀴를 돌리고 돌렸을 뿐이었다. 모든 게 '허무' 라는 탈을 쓰고 있었다.

"윤미야, 많이 기다렸어."

등 뒤에서 준영의 목소리가 들려왔다. 기대했던 것과 다르게 차분한 말투였다.

"준영이 왔구나. 그동안 어떻게 지냈어?"

"나야 뭐. 그저 그렇지 뭐. 아참, 너한테 잘못해서 벌 받고 있는 중인지도 몰라."

"그게 무슨 소리야?"

"내 팔이 이렇게 되었다는 걸 지난번 동창회 때 봤잖니."

"게다가 이혼도 했다면서?"

"그 소문도 들었구나. 우리 애는 이경이가 데려갔어. 허참, 내 신세가 왜 이럴까. 벌 받는 게 틀림없어."

"너무 자학하지 마."

"그런데 왜 만나자고 한 거야? 나는 네가 연락할 줄 꿈에도 생각 못했다."

"그날, 동창회에 처음 나간 건데, 네 얼굴 보니 너무나 반갑더라. 그래서 다시 만나 보고 싶었지 뭐."

윤미는 '만나보고 싶었다' 는 말로 여태 감추고 지냈던 자신의 애타는 마음을 표현했다.

예전에, 윤미는 준영이 갑자기 결혼한다는 소식을 듣고 소스라치게 놀랐다. 그뿐만 아니라 결혼 상대자가 이경이라는 사실에 까무러칠 뻔했다.

"준영아, 실은 나……."

윤미는 뭔가 의지하고 싶은 마음이 들어서 암에 걸렸다는 이야기를 꺼내려다가 준영의 의수를 보는 순간 입을 다물었다. 그에게 아픔을 더 이상 안겨 주고 싶지 않았다. 그런 말 대신에 입을 꼭 다물고 지난 추억들을 떠올리기 시작했다. 고통스러운 현실에서 벗어나고 싶은 일종의 보호본능이 발동했던 것일까.

윤미와 준영 그리고 이경은 죽마고우였다. 윤미는 아버지의 직장을 따라 서울로 이사를 갔고, 서울에서 중학교를 졸업했다. 윤미는 이사 간 집도, 학교도, 친구들도, 낯설었다. 우선 학교생활에 적응하는 것이 쉽지 않았다. 궁금한 점이 있어도 다른 사람에게 묻지 않았다. 성격이 내성적이라서 붙임성이 없고 친구를 사귀는 데도 젬병이었다. 고향의 옛 친구들은 말하지 않고 눈빛만 봐도 무엇을 원하는지 알 수 있어서 좋았다. 그런데 서울 아이들은 달랐다.

윤미는 열아홉 살 무렵에 방학을 맞아 준영을 만나러 고향에 내려갔던 추억을 떠올리기 시작했다. 윤미와 준영은 늦은 오후 무렵에 시냇가로 나갔다. 반바지에 티셔츠 차림이었다. 햇빛에 달궈진 돌을 밟으며 발을 조심스럽게 시냇물 속에 집어넣었다.

준영이 윤미의 손을 잡고 가슴 깊이의 물속으로 데려갔다. 서늘한 기운이 발등을 타고 가슴까지 올라왔으나 준영이 곁에 있어서 무섭지 않았다. 준영이 자랑스럽게 헤엄치기 시작했다. 물살이 멀리 흩어져 포물선을 그리다가 잔잔해지곤 했다. 윤미는 수영할 줄 몰라서 손뼉을 치듯 손바닥으로 수면을 텀벙거리며 즐거워했다. 준영이 다가왔다.

"헤엄치는 거 가르쳐 줄게. 자, 나를 믿고, 물위에 몸을 엎드려 봐."

"싫어, 싫어. 무섭단 말이야."

"뭐가 무섭다고 그래. 괜찮아. 너는 할 수 있어. 먼저 숨을 잔뜩 들이켜야 해."

윤미를 안심시킨 준영이 두 손으로 윤미의 몸을 받치고 물 위에 띄웠다. 윤미는 겁이 나서 준영의 팔을 붙잡았다. 손을 놓기만 하면 곧바로 가라앉을 것 같았다.

"자, 괜찮지? 손 놔 봐. 손바닥을 노처럼 만들어서 물을 저어 앞으로 나가는 거야. 알았지?"

윤미는 어설프게 따라하다가 물을 연거푸 들이마셨다. 그래도 용기를 내어 다시 도전했다. 그녀는 얼마 지나지 않아 수영 흉내를 내게 되었다. 물론 '개구리헤엄'에 지나지 않았지만 물위에 뜰 수 있다는 것이 신기했고, 하늘로 날아오른 것처럼 기분이 좋았다.

그때, 준영이 다가와서 윤미를 살포시 껴안았다. 그녀는 전기에 감전되기라도 하듯 몸을 부르르 떨었다. 온몸이 경직되어 석고상으로 변해 버릴 지경이었다. 그런 반면에 육신에 돋아난 털끝들이 일제히 일어서면서 두 다리에는 힘이 풀려 버렸다. 누가 먼저랄 것도 없이 입술이 포개졌다. 혀끝에서 느껴지는 부드러움이 어딘지 모를 곳으로 깊이 빨려 들어갔다. 윤미의 몸이 활처럼 휘어졌다.

멀리서, 갈대들이 바람에 흔들리며 몸을 비틀었다. 그럴 때마다 풀냄새가 번져 나왔다. 호수 위의 청둥오리들이 떼를 지어 헤엄치다가 하늘로 일제히 치솟기 시작했다. 윤미는 구름 위에 두둥실 떠 있는 느낌에 사로잡힌 채 어지럼증 비슷한 증상을 느꼈다. 태어나서 그런 느낌은 처음이었다. 혹시 그게 황홀감이었던 것일까?

윤미가 행복했던 추억을 더듬고 있을 때, 주문했던 스테이크가 나왔다. 준영이 스테이크를 무연히 바라보았다. 그녀가 스테이크를 대신 잘라서 준영이 쪽으로 밀었다. 그가 멋쩍은 듯 웃었다.

"맛있게 보이네. 많이 먹어."

준영은 오른쪽 의수를 테이블 아래에 둔 채 왼손으로 포크를 쥐고 스테이크를 찍어 입에 넣었다. 음식을 씹으면서 윤미의 얼굴을 뚫어지게 바라보았다.

"우리 어릴 때 말이야. 그때는 마냥 배가 고팠지. 그래도 행복하고 즐거웠잖아."

"지나간 추억은 모두 아름답다고 하지만, 우리의 추억들은 유난히 아름다웠던 것 같아. 뭐랄까? 동화 속이 이야기 같았다고나 할까, 한 폭의 그림 같았다고나 할까."

두 사람의 분위기를 눈치채기라도 하듯, 레스토랑의 라이브 가수가 「향수」를 부르기 시작했다. 그들은 그 노래 선율을 타고 고향의 옛 추억 속으로 한없이 빨려 들어갔다.

윤미가 서울로 전학가기 이전까지 준영과 이경, 세 사람이 친하게 지냈다. 어느 날인가 십 리 길을 걸어서 학교에 다녀오고 있었다. 햇살이 내리면서 시냇물 위에 윤슬이 반짝거리고 있었다. 그 보석 같은 빛살이 너무나 현란하고 아름다워서 넋을 잃고 바라보았다. 가까이 다가가면, 맑은 시냇물 속에서 노니는 물고기들이 훤히 보였다. 인기척을 느낀 물고기들이 일제히 몸을 뒤틀면서 순간적으로 사라졌다가 금세 아무 일도 없었다는 듯 다시 헤엄치는 광경이 흥미로웠다. 그들은 장난꾸러기 본색을 드러냈다. 발로 땅바닥을 쿵쿵 찧으며 물고기들을 따라다녔다.

윤미의 집 앞으로 개울물이 흘렀다. 환경오염 문제를 걱정하지 않았던 시절이라서, 그 물속에는 피라미 떼들이 줄지어 헤엄쳐 다니기도 하고 모래무지와 붕어들도 살았다. 모래가 쌓여 있는 곳에 구멍이 뚫려 있으면 그곳에 엄지발가락을 밀어 넣어 재첩을 잡았다. 물속에 잠긴 나뭇가지나 돌멩이 위에는 청정 일급 수에서만 자라는 다슬기가 다닥다닥 붙어 있었다. 엄마는 그 다슬기로 '다슬기부추된장국'을 끓이곤 했다. 하지만 윤미 또래의 아이들은 탱자 가시나 옷핀으로 삶은 다슬기의 알맹이를 빼먹는 재미에 빠졌다.

준영은 사내아이라서 참게 잡는 것을 좋아했다. 지렁이를 강아지풀에 꿴다거나, 미꾸라지를 가는 대나무에 매달아서 참게가 숨어 있을 법한 돌멩이 틈 속으로 밀어 넣었다. 그러면 참게란 녀석이 주위를 살피며 조심히 밖으로 기어 나왔다. 그때를 놓치지 않고 손으로 덥석 잡았다.

준영이 참게를 볏짚으로 꿰어 윤미에게 건네주었다. 윤미는 그것을 들고 강아지마냥 뒤따라 다녔다. 그가 참게를 잡기 위해 돌멩이 틈 앞에서 엎드릴 때마다 바지가 약간 흘러내려 엉덩잇살의 틈이 보이곤 했다. 장난기가 발동한 윤미가 강아지풀로 준영의 엉덩잇살을 간지럽혔다. 참게 구멍에 정신을 집중하고 있던 준영이 소스라치게 놀라 허리를 펴면, 윤미가 "얼레리 꼴레리" 하면서 도망쳤다.

돈의 가치를 몰랐던 그때, 윤미의 집에는 장독대 곁 뒷마당으로 이어진 담장에 마삭줄이 넝쿨을 뻗고 있었다. 아기 손가락처럼 작고 어여쁜 마삭줄 잎은 돈이 되었다. 그 잎을 따서 물건을 사고파는 '점방놀이'를 했다.

이런 어릴 적 추억은 화인이 되어, 윤미의 머릿속에 생생히 박혀 있었다. 그녀는 자신이 추억 속에 너무나 깊이 빠져 있다는 것을 알고 현실로 빠져나오려고 노력했다. 자신이 추억 속에 매몰된 것은 준영을 만났기 때문이기도 하지만, 중한 병을 앓아 내일을 기약하기 어려운 사람들이라면 지난 추억에 파묻히기 십상일 터였다.

윤미가 초등학교 다닐 때였다. 학교에서 돌아와 친구들과 고미다락에 올라 소꿉놀이를 하며 즐겁게 놀았다. 고미다락을 소꿉놀이 장소로 택했던 것은 어른들이 없는 자신들만의 공간을 원했기 때문일 것이다. 그런 공간은 아이들만의 세상이었고, 아이들의 낙원이었다. 그런데 창밖에서 천둥번개가 요란을 떨더니 장대비가 쏟아지기 시작했다. 친구들은 집이 무너지고 하늘 복판까지 무너질까 봐 혼비백산하며 고미다락에서 뛰어내렸다. 여태 살아오는 동안, 윤미에게 가장 무서운 사건이기도 했다. 그녀는 오늘 반추해보는 그날의 일들도 아름답게만 느끼고 있었다.

"이경이 그 애가 어릴 때부터 질투심이 많았던 거 기억해?"

윤미는 준영이 스테이크 먹는 모습을 바라보다가 예기치 않는 질문을 던졌다.

"그랬니? 나는 잘 모르겠는데."

"너랑 이혼했다고 해서 헐뜯는 건 아니야. 이경이는 질투의 화신이었어. 어쩜 질투가 그 애를 지탱해 주는 힘이었는지도 모르고 말이야."

윤미는 이경을 떠올리며 잔잔한 미소를 지었다. 암 진단을 받지 않았더라면 미소는커녕 인상을 한껏 찌푸렸을 것이다.

어느 날이었다. 하교 후에 친구들하고 저수지에 몰려가서 놀았다. 저수지 주변에는 장구아재비, 소금쟁이, 애기물방개, 물장군, 물땡땡이 등 계절에 따라 곤충들이 모여들었다. 앞다리로 물 위에서 덤벙거리는 모습이 한참 흥이 나서 노래 부르고, 장구를 치는 모습 같아서 그런 이름이 붙었다는 장구아재비. 그 장구아재비들이 숨을 쉴 때는 수면 가까이로 올라와 호흡기를 물 밖으로 내놓았다. 몸은 가느다란 막대기처럼 가늘고 작았다. 저수지 옆 참나무 숲에는 풍뎅이가 많이 서식했다. 그런 곤충들은 아이들을 심심치 않게 만들어 주는 장난감 역할을 해 주었다. 아이들이 풍뎅이를 잡아 머리를 한 바퀴 비틀고 거꾸로 뒤집어 놓았다. 손으로 땅바닥을 치며 노래했다.

"풍뎅아, 풍뎅아, 뱅뱅 돌아라! 풍뎅아, 풍뎅아, 앞마당 쓸어라! 뒷마당 쓸어라! 풍뎅아, 풍뎅아, 뱅뱅 돌아라! 천냥 줄게 돌아라, 만냥 줄게 돌아라!"

그렇게 놀다가 허기를 느끼면 저수지에서 물밤을 땄다. 무서운 것도 모르고 저수지 가장자리에 자라는 물밤을 서로 많이 따려고 아웅다웅했다. 그 물밤을 한 입 베어 물면 입안에 하얀 액체가 흘러나왔고 비릿한 냄새가 났다. 집에 가서 삶아 먹으면 밤처럼 달달한 맛이 나기도 했다. 생김새가 별모양 같아 더 좋아했다. 물밤을 감싼 털을 잘 비벼 닦아 내고 말려서 갖고 놀 수도 있었다.

"윤미야, 네가 이거 다 가져."

준영은 항상 윤미부터 먼저 챙겼다. 그럴 때면 이경이 금세 토라졌다. 그 애의 입술이 불어 터진 보리알처럼 변했을 뿐만 아니라 눈초리가 위로 한껏 치켜졌다. 때로 아무런 내색을 드러내지 않기도 했지만, 온다 간다 말도 없이 혼자서 집으로 가 버리곤 했다.

윤미의 대학 시절이었다. 세 사람이 다시 만났고, 숙명처럼 다시 어울리게 되었다. 그때도 윤미를 향한 준영의 마음은 변함이 없었다. 이경 역시 변한 것이 없었다. 굳이 달라진 것을 꼽으라면, 준영이 예전처럼 윤미를 먼저 챙겨 줄 때 입술이 불어 터진 보리알처럼 변한다거나 눈초리가 한껏 올라가는 모습을 보이지 않았다. 그런 모습 대신에 의미 모를 교활한 웃음을 날렸다. 하지만 윤미는 이경의 질투심이 그대로 남았다는 것을 알고 있었다. 이경은 준영이 윤미에게 잘해 줄 때 무표정하게 바라보는 듯했지만 눈빛이 알게 모르게 달라지곤 했다. 언젠가는 사달이 일어날 것 같은 분위기였지만, 운 좋게도 아무런 일이 발생하지 않았다. 세 사람은 '죽마고우'라는 이름 아래 변함없이 만났다.

그러던 어느 날이었다. 준영과 이경, 두 사람이 시 외곽에 있는 캠핑장을 1박 2일로 다녀왔다. 이경이 그런 사실을 말하지 않았다면 윤미는 아무것도 모를 뻔했었다.

"어머! 도대체 어떻게 그럴 수 있어……."

"넌 참 바보구나. 준영이 널 좋아했던 게 아니야. 네가 짠해서 좋아하는 것처럼 대해 주었을 뿐이지. 준영이가 진짜 좋아했던 사람은 나였어. 네가 눈치채지 못했을 뿐이지만 말이야."

"그럴 리 없어. 나한테 얼마나 잘해 주었는데."

"그래서 너를 바보라고 하는 거야. 윤미야, 잘 들어둬. 준영은 너를 눈곱만큼도 좋아하지 않았어. 물론 양다리를 걸쳤던 것도 아니고 말이야. 그러니 앞으로 더 이상 착각하지 마. 우리 곁에서 깨끗이 사라져 줘. 알았지."

이경이 싸늘하게 돌아섰다.

윤미는 준영에게 이경의 말이 사실인지 확인해 보려다 자존심 상해서 그만두었다. 그 이후, 이경의 말이 사실인 것처럼 준영이 연락을 끊었다. 이경 역시 연락을 한 적이 없었다. 윤미는 고통의 나날을 보낼 수밖에 없었다. 그렇게 세 사람의 우정은 허무하게 끝나고 말았다.

반년쯤 지났을 때였다. 몸을 제대로 가눌 수 없을 만큼 취한 준영이 윤미를 찾아왔다.

"윤미야, 나를 얼마든지 욕해도 좋아. 뺨을 때린다고 해도 달게 받을 각오가 되어 있어."

"갑자기 그게 무슨 소리야."

"나는 너한테 죄인이나 마찬가지야. 죽일 놈이라고."

"정신 차려. 엉뚱한 소리하지 말고."

"미안해. 내가 이경이한테 책임져야 할 일을 저질렀어. 너한테 미안해서 찾아온 거야. 여태 망설이다가 이제야……."

"도대체 무슨 소린지 모르겠다. 정신 차려."

"이경이가 내 아이를, 아이를 가졌대."

순간, 윤미는 석고상처럼 굳어 버리고 말았다.

나중에 안 사실이지만, 준영은 이경의 계획적인 유혹에 넘어갔다. 세 사람이 함께 캠핑 가는 것처럼 준영에게 말해 놓고, 이경이 윤미에게는 알려 주지 않았던 것이다. 결국 단 둘이 캠핑장에서 하룻밤을 보내게 되면서 사고가 터졌던 것이다.

"스테이크 맛이 괜찮은데 왜 남겼어? 더 먹어 봐."

준영이 냅킨으로 입을 닦으며 윤미를 바라보았다.

"응, 배가 부르네. 커피나 맛있게 마실까 봐."

"혹시 불쾌했던 옛날이 떠올랐던 건 아니니? 네 표정이 별로 좋지 않아서 그래."

"모든 것은 지난 과거일 뿐이잖아. 지나간 과거는 과거일 뿐이니 그냥 묻어 두라는, 말도 있잖아."

윤미의 입에서 말이 그렇게 나왔지만 머릿속은 이경을 향해 끊임없이 달려가고 있었다.

준영은 아이를 임신한 이경에게 책임을 지려고 결혼하게 되었다. 대학 재학 중에 결혼한 두 사람을 곱게 바라볼 부모가 없었다. 양가 부모들이 경제적 지원을 끊었다. 결혼은 자립이라는 냉정한 선언으로 잘못을 꾸짖으려 했던 것이다.

두 사람의 결혼 생활은 경제적인 어려움 외에도 순탄치 않았다. 이경은 준영을 독차지하고 나서 노골적으로 괴롭혔다. 그들에게 닥친 모든 어려움이 윤미 탓이라고 둘러대며, 질투의 채찍을 끝없이 휘둘렀다. 준영이 밤늦게 귀가할 때면 폭언을 일삼고 찬물 세례를 퍼붓기도 했다.

"너, 나 몰래 윤미 만난 거 아냐? 정신 차려! 우리 애 좀 봐. 빈 우윳병을 빨며 울다가 지쳐서 잠들었어. 이러고도 네가 아빠야?"

준영은 아이를 담보로 내세우며 폭언하는 이경에게 대항하지 못했다. '우리 애' 라는 단어만 튀어나오면 숨을 죽였다. 마침내, 준영이 휴학하고 공장으로 들어갔다. 여러 공장을 전전하기 시작했다. 아이를 키우기 위해 돈이 필요했기 때문에 급여를 더 준다는 공장을 찾지 않을 수 없었다. 앵글을 제작하는 공장에 취업했다. 만들어 놓은 모형을 틀에 넣고 찍어 내는 사출성형을 했다. 프레스에 넣어 모양을 잡고 다시 절단기에서 잘라 매끈하게 마무리 작업을 하는 공정이었다.

어느 명절날이었다. 특근수당은 일당의 두 배였다. 당장 돈이 아쉬운 준영은 고향에도 내려가지 않고 특근을 자원했다. 대부분의 작업자들이 나오지 않은 공장은 분위기가 음산했다. 준영은 여느 때처럼 일을 시작했다. 절단기의 소음을 막기 위해 귀마개를 하고 손에는 장갑을 끼었다. 프레스 작업과 절단 작업을 번갈아 했다. 그러던 중 장갑이 프레스에 끼이면서 준영의 오른팔까지 딸려 들어갔다. 검붉은 피가 낭자했다. 준영의 잘린 팔은 프레스 안에서 으스러지고 말았다.

사고로 팔을 잃은 준영의 성격이 괴팍하게 변해 버렸다. 불구자가 되었다는 것 외에도 구박받고 살아왔던 지난날의 울분이 한꺼번에 폭발했을지도 모른다. 결혼 후 한 가족이 된다는 건 있는 그대로를 인정하는 것인데, 서로 단점을 흠집 내다가 두 사람은 결국 헤어졌다.

지난해였다. 윤미는 동창회 총무, 미주로부터 동창회 소식을 들었다. 모임 장소는 윤미가 졸업했던 초등학교 운동장이었다. 윤미는 오랜만에 친구들을 만나 보고 싶었다. 특히 준영이 보고 싶었다. 휴학하고, 결혼하고, 이경과 이혼까지 했다는 그에게 연민의 정을 느끼기도 했지만, 아직도 지워지지 않고 있는 그를 향한 마음 때문이었다.

여러 도시에 흩어져 사는 동창생들이 계속 나타났다. 회장과 총무가 준비해 온 음식들이 차려졌다. 서로 안부를 주고받은 동창생들은 빙 둘러앉아 식사를 하거나 술잔을 기울였다. 내심 손

꼽아 기다렸던 준영은 느지막이 찾아왔다.

윤미는 속마음을 억누르지 못한 채 일어나서 준영에게 악수를 청했다. 그가 악수 대신에 오른손을 주머니에 찌른 채 왼손으로 윤미의 등을 토닥거려 주었다. 뭔가 이상한 느낌이 들었지만 눈치채지 못했다. 그러다가 동창생들이 쑥덕거리는 소리를 들었다.

"야, 장애를 입은 몸으로 동창회에 당당하게 참석한 준영이가 대단하다. 나라면 부끄러워서 나타나지 않았을지도 몰라. 멋지다, 멋져."

"그런데 이경이 그 가시나는 안 나오겠지."

"그럼 낯짝이 있어야 나오지, 어떻게 나오겠어."

"나는 그 가시나가 그렇게 독한 줄 몰랐다."

"너도 그 기막힌 사연을 들었던 모양이구나. 준영이가 사고로 한쪽 팔을 잃자 이혼을 요구했다는데, 그게 말이나 되니. 윤미한테 뺏어 갈 때는 언제고 말이야. 정말 독한 가시나야."

윤미는 그때서야 준영이 사고로 한쪽 팔을 잃었다는 것을 알게 되었다. 동창회 소식통인 미주를 통해서 준영이 이경과 이혼하게 된 내막도 자세히 듣게 되었다.

동창회는 과거로 돌아갈 수 있는 타임머신 같은 거였다. 오랜만에 모인 동창생들은 어린 시절로 되돌아갔다. 족구, 배구, 이인삼각달리기를 운동종목을 정하고 선수들이 입장했다. 동창생들은 두 팀으로 나누어 한 명도 빠짐없이 경기에 참가했다.

이인삼각달리기가 시작되었다. 윤미와 준영이 짝이 되었다. 그들은 다리를 묶고 오리가 뒤뚱거리며 걷는 것처럼 달렸다. 윤미는 준영이 자꾸만 앞으로 쏠려서 넘어지려고 하면 걸음을 늦추며 보조를 맞추었다. 준영이 뒤뚱거리다가 멈추기를 반복하더니 결국 넘어졌다. 그 광경을 지켜보던 동창생들이 손뼉을 치면서 웃었다. 윤미는 준영을 일으켜 세우려고 오른팔을 무심코 붙들었다. 순간, 뭔가 딱딱한 감촉이 느껴져서 기분이 흠칫했다. '아, 사고로 팔을 잃었다더니.' 윤미는 애써 모른 척하며, 손뼉 치고 있는 동창생들을 향해 손을 흔들었다.

윤미와 준영이 결승점을 향해 다시금 달렸다. 두 사람은 배 사이에 풍선을 올려놓고 터트렸다.

윤미는 동창회 이후 한 번도 만나지 않았던 준영의 모습이 떠올랐다. 병원에서 수술을 앞두고 몰래 도망 나온 이유는 준영을 마지막으로 한 번 보고 싶었기 때문이다. 그동안 잊으려고 애썼던 준영이 다시 떠올랐던 이유는 뭘까. 동창회에서 만난 이후로 자꾸 애잔한 마음이 들었기 때문일까. 아침에 일어나 기지개를 펴다가도, 풀어진 운동화 끈을 묶다가도, 문득 준영의 오른쪽 의수를 떠올리곤 했다. 이경과 이혼하고 외기러기처럼 쓸쓸하게 살아가고 있을 그에게 연민의 정을 느끼고 있었다.

윤미는 5년 전 이혼하고 혼자 힘든 시간을 보내면서도 준영을 생각하지 못했다. 동창회에서 만난 이후, 준영의 모습이 자꾸만 눈에 밟히기 시작했다. 그렇다고 해서 준영에게 전화를 선뜻 걸 만한 용기는 없었다. 따로 지냈던 오랜 세월의 고통을 쉽게 해결할 수 있는 방법은 별로 없을 터였다.

식사가 끝났다. 윤미가 준영을 이끌고 레스토랑 옆의 카페로 갔다. 실내는 초저녁이라 그런지 한산했다. 카페에 들어서자 홀 가득 음악이 울려 퍼지고 있었다. 맥주를 주문했다. 맥주가 나오자 윤미가 준영에게 건배를 제의했다.

"자, 우리의 남은 시간을 위하여!"

윤미가 자신도 모르게 그런 건배사를 외쳤다.

"잠깐, 남은 시간이라니. 지금 이 순간을 위하자고 하는 게 더 좋지 않을까?"

"준영이 너, 사고당하고, 이혼했어도 별로 힘들지 않게 보이더라야. 넌 언제 보아도 대단해."

윤미가 뚫어지게 바라보자, 준영은 일단 잔부터 부딪치고 '원샷' 하자고 했다. 그리고 "이 순간을 위하여!"라고 건배사를 바꿔 외친 다음에 잔을 말끔히 비웠다. 준영이 입가에 묻은 맥주 거품도 닦지 않은 채 말을 이어 갔다.

"나도 왜 힘들지 않겠어. 윤미야! 너, 카르페 디엠이라는 말 아니?"

"무슨 말이야?"

"영화 〈죽은 시인의 사회〉에서 존 키팅 선생이 했던 말인데, '현재에 충실하라' 혹은 '지금 이 순간을 즐겨라' 그런 거야."

준영이 덧붙여서 이야기를 늘어놓았다. 그는 사고로 팔을 잃고, 이혼까지 당하게 되자 살아갈 용기를 잃었다. 스스로 목숨을 끊어 버리려고 하던 중에 '카르페 디엠'이라는 단어를 알게 되었다. 현재 자신 앞에 놓인 나날들이 너무나 소중하다는 것을 깨닫고 삶의 용기를 얻었다고 했다.

그 이야기를 듣던 윤미가 흠칫했다. 자신도 이혼에 이어 암에 걸리게 되자 자포자기 심정에 빠졌다. 그래서 수술을 앞두고 병원을 빠져나왔다. 최악이요 마지막 선택이랄 수 있는 죽음을 위해 약 봉투를 남몰래 준비해 놓고 있었다.

"넌 언제나 대단해. 그림을 그릴 때도 그랬지만, 의수를 끼고도 이혼당하고도 너무나 당당하거든."

"처음에는 고통 속에서 허우적거렸는데 깨닫고 나서 달라졌다고나 할까. 행복하든 불행하든 그 모든 것은 살아가는 과정일 뿐이야. 봐라, 이 한 팔로도 못 하는 게 없어."

준영이 자리에서 갑자기 일어났다. 윤미 옆으로 다가와서 한 팔로 어깨를 감싸 안았다.

"미안해. 너한테 지은 죄가 너무나 커. 용서해 달라고 말하면 염치없는 걸까?"

윤미는 시냇물에서 수영을 배우다가 두 사람이 껴안았고, 전기에 감전되기라도 하듯 부르르 떨었던, 그 옛날의 추억 속으로 속절없이 빨려 들어갔다. 아름다운 추억은 모든 고통을 녹여 버리는 용광로였다.

"준영아, 나도 이혼녀야. 살다 보니 그런 일을 당하게 되더라."

"나도 미주한테 네 이야기를 들었어. 윤미야, 지금 이 순간, 지나간 고통스러운 이야기는 끄집어내지 말자. 오로지 카르페 디엠이라는 단어만 생각해."

준영도 전율을 느끼는지 팔을 부르르 떨었다.

"더 알려 줄 게 있어. 네 얼굴을 본 뒤에 내 인생의 마지막을 정리하려고 그랬어. 아무도 모르게 멀리 떠나고 싶었어."

"이 바보야, 아무리 힘들어도 그렇지, 무슨 그런 소리를 하냐. 야, 바보처럼 굴지 마. 지금 임종을 앞둔 사람은 하루만, 한 달만 더 살 수 있기를 간절히 기도한다는 거야. 너에게 지금 이 순간은 그 어느 것보다 값진 거야. 그깐 암 때문에 이 값진 순간들을 포기하려 들다니. 예전에는 암이 사망 선고나 마찬가지였지만 요즘은 달라. 너에게 아름다운 삶이 무엇인지 깨닫게 해 주려고 암이라는 손님이 찾아왔는지도 몰라."

준영의 목소리에 흐느낌이 묻어 있었다.

"항암치료로 망가진, 그런 흉측한 모습을 다른 사람들에게 보여 준다는 것이 죽는 것보다 싫었어. 그래서……."

윤미는 말을 건네던 중에 이상한 기운을 느꼈다. 암에 짓눌려 죽어 버렸던 정상세포들이 다시 살아나서 꿈틀거리는 듯했다. 뭔지 알 수 없는 뜨거운 기운이 온몸을 휘감았다.

그녀는 입술에 덧칠했던 진분홍색 립스틱을 화장솜으로 말끔히 닦아 냈다. 병약한 얼굴이 드러나도 괜찮았다. 그녀가 먼저 준영에게 입을 맞추었다. 지금 자신의 몸속에서 소용돌이치고 있는 뜨거운 기운을 준영에게 건네주고, 그의 당당한 기운을 건네받고 싶었다. 준영이 한 팔로 윤미를 포옹하며 화합해 주었다.

호젓한 카페에 음악이 시냇물처럼 흐르고 있었다. 그 음악은 마음의 화합일 뿐만 아니라 어려움을 극복하며 오늘을 살아가는 사람들에게 보내는 삶의 찬가였다.

회저의 시간

단숨에 죽는 자가 아니라, 고통을 겪을 만큼 겪으면서 느릿느릿 죽어가는 자의 병이기에, 회저에는 긴 울부짖음이 있다. 그러나 그 울부짖음도 소용이 없는 텅 빈 무덤 속에서, 진물 흐르는 썩은 살을 긁어내며, 흙더미 허물어지는 소리를 우리가 듣게 된다면…… 그런 회저의 시간이 찾아온다. 자신의 인생에게 홀로 침묵으로 예배해야 하는 시간이, 어느 날 예기치 않게, 또는 꿈길로, 우리의 첫 번째 죽음을 예고하면서.

– 최승호, 『회저의 시간』

무등경기장에서 해태 타이거즈가 경기하는 날이면 어김없이 나타나서 응원을 이끄는 사람이 있었다. 그 주인공은 흰 티셔츠와 고무줄바지를 입은 키가 작고 뚱뚱한 아줌마였다. 그녀가 양

손에 든 꽃술 막대를 흔들면서 해태 타이거즈를 응원하기 시작하면 관중은 열정의 도가니 속으로 금세 빠져들었다.

그 아줌마의 응원 동작이 볼품 있는 것은 아니었다. 야구와 전혀 상관없는 시골 아주머니가 그저 흥에 겨워 보릿대춤을 춘다거나 뭔가에 미쳐 광란의 몸짓을 보이는 것 같았다. 그녀가 귀곡성을 내지를 때도 있었다. 그런 목청은 타고난 것인지 맺힌 한이 많아서 저절로 솟구치는 것인지 모를 일이었다. 아무튼 사람들은 미친 듯이 응원하는 그녀를 '해태 아줌마' 라고 불렀다.

특히 야구를 좋아하는 사람들이 해태 아줌마를 모른다고 하면 시쳇말로, 간첩이나 다를 바 없었다. 그녀가 특이한 차림으로 나타나서 열정적인 응원을 할 때부터 '명물' 이라는 딱지가 붙었고, 세월이 점점 흐르면서 '살아 있는 전설' 로 자리매김 되었다.

어느 누구도 그녀의 인적 사항을 자세히 알 수 없었다. 오로지, 그녀가 무등경기장 매표소 맞은편에서 몇 가지 물건을 놓고 판다는 정도만 알고 있었다. 그녀의 좌판에는 허름한 간이의자 위에 담배와 라이터, 생수, 껌 등이 놓여 있었다. 야구경기가 시작될 무렵이면 그 좌판을 어딘가에 내팽개쳐 버리고 경기장 안으로 들어와서 관중석 여기저기를 비집고 다니며 물건을 팔았다. 그녀는 경기장 안의 다른 잡상인과 근본적으로 달랐다. 그렇다고 해서 손님을 무시한다거나 강매하는 일은 없었다. 그녀는 '고객이 왕' 이라는 말을 전혀 들어보지 못했는지, 물건을 팔고 거스름

돈을 줄 때면 뒤돌아서서 등 뒤로 휙, 던졌다. 사람들은 그런 행동이 재미있어서 낄낄대거나, 거스름돈을 날아오는 파울볼처럼 받아서 주인에게 돌려주었다. 그런데 그녀는 거스름돈이 얼마 되지 않거나 뭔가 마음이 내키지 않을 때면 손바닥으로 입을 쓰윽, 닦고 나서 그냥 지나가 버리기도 했다.

야구 경기가 시작되면, 그녀는 물건을 언제 팔았냐는 듯 시치미를 떼고 응원에 몰두했다. 조잡한 꽃술이 매달린 막대를 흔들며 큰 소리를 지르는 모습이 가관이었다. 뭐랄까? 신명을 뛰어넘어 무아지경에 도달했다고나 할까. 아무튼 굿판의 큰무당처럼 혼신의 힘을 다해 막대를 흔들고 소리치며 발악하듯 응원에 빠져들었다. 사람들은 세상만사 걱정거리를 뒷전에 잠시 내려놓고, 그녀가 이끄는 대로 열정의 도가니 속으로 빠져들었다.

그녀의 응원은 구단에서 계획적으로 은밀히 시킨 것이 아니었다. 그렇다고 해서 누군가가 응원하도록 바람을 잡았다거나 부추겼던 적도 결코 없었다. 본인 스스로 나서서 무등경기장을 열광의 도가니로 만들었다. 자신은 활활 타오르는 열광 속의 불새가 되어 하늘로 솟구쳤다. 그리고 관중석 구석구석을 누비며 불꽃처럼 이글거리는 날개로 사람들의 얼굴을 쓰다듬어 주고 어깨를 토닥거려 주었다.

어떻게 보면 약간 비정상적인 듯한 그녀의 언행을 놓고 눈살을 찌푸리거나 야유하는 사람이 있을 법도 한데 전혀 없었다. 그녀를 가련하게 본다거나 미쳤다고 여기는 사람 또한 없었다. 그녀가 성난 파도처럼 우렁우렁 소리를 지르면, 관중도 박수를 치며 빠져들었다. 그녀가 불꽃처럼 활활 타오르면, 관중도 거대한 활화산이 되어 시뻘건 용암을 뿜어냈다. 그녀와 관중들이 거대한 혼불 덩어리로 변해서 한이 서린 바람처럼 남도의 황톳길을 샅샅이 휘젓고 다녔다.

"김봉연 홈런! 김봉연 홈런! 김봉연 홈런!"

그녀가 그렇게 외치면, 그 선수가 주술에 걸린 것처럼 홈런을 날릴 때가 많았다. 주간 경기 때면 미치도록 시퍼런 하늘을, 야간 경기 때면 칠흑 같은 밤하늘을 시원스레 뚫고 하얀 야구공이 솟구쳤다. 사람들은 가슴속 어디쯤인가에 막혀 있었던 무엇인가가 터지고 산산이 폭발하는 기분을 느꼈다. 하늘에 뜬 해와 달이나 밤하늘에 많은 별들이 쏟아질 만큼 환호성을 우렁우렁 내질렀다.

언제였을까. 그녀가 상중에 입는 소복을 차려입고 나타나서 응원을 했을 때도 그랬다. 그녀가 "홈런! 홈런! 홈런!"을 외쳤고, 사전에 약속이라도 해 놓은 듯 야구공이 포물선을 그리더니 마침내 관중석에 꽂혔다. 야구 경기 중에 흔히 볼 수 있는 하나의 홈런이 뭐가 그리 대단했던 것일까. 홈런이 터진 그 순간은 '열광'이라는 단어만으로 표현하기에 부족함이 많았다. 그 순간은 '광란이요, 해방이자 한풀이에 천지개벽이었다. 그런 분위기에 감동해 눈시울이 촉촉이 젖은 사람도 더러 볼 수 있었다.

"느그들 참 짜안해야……."

환호성이 메아리로 변할 때, 열광했던 사람들을 안쓰럽게 바라보던 해태아줌마의 입에서 뜻 모를 소리가 새어 나왔다. 그런 소리가 새어 나옴과 동시에 연민에 젖어있던 그녀의 표정이 암고양이 낯짝처럼 변하면서 독설이 쏟아져 나왔다.

"에라이, 똥물에 튀겨 죽일 놈덜!"

그녀는 허공을 향해 삿대질을 한두 번쯤 하다 말고 이내 해태타이거즈 응원에 몰두했다.

내 이름은 김경모이고, 야구를 무척 좋아한다. 아마 내가 야구를 좋아하게 된 것은 아버지로부터 물려받은 유전자 때문일 것이다. 아버지는 학창 시절에 야구선수가 꿈이었다고 한다. 아버지는 호남 최고의 야구 명문고등학교를 졸업했다. 그런데 정확히 짚어보면, 내가 야구를 좋아하게 된 요인이 아버지로부터 물려받은 유전자 외에도 또 있었다. 몸이 가까워지면 마음도 가까워진다는 말이 있듯이, 집을 나간 아버지를 찾으려고 야구장을 수없이 들락거리는 동안에 나도 모르게 야구의 매력 속으로 빠져 버렸던 것이다.

내가 야구에 매력을 느낄 수밖에 없었던 요인은 또 있다. 야구는 다른 구기종목과 달리 공으로 점수를 얻지 않고 사람이 홈으로 들어왔을 때 점수를 얻는 특이한 방식을 취하고 있다. 그러니까 홈에서 출발한 한 명의 야구선수가 1루에서 3루를 거쳐 다시 홈까지, 다이아몬드를 무사히 그리게 되면 1점을 얻게 된다. 쉽게 말해서 집 나간 사람이 무사히 귀가하면 점수를 얻는다. 그런 행위는 인간들의 원초적인 귀소본능을 자극하고 일깨워 주기 때문에 매력을 갖고 있는 모양이다. 특히 아버지의 오랜 부재에 불안감을 느끼고 살아왔던 나에게 야구경기가 매력 이상으로 작용할 수밖에 없었다.

나는 야구경기를 보면서, 내가 응원하는 팀의 선수가 무사히 '홈' 으로 들어올 때면 왠지 모르게 뿌듯하고 행복해지는 대리만족을 느끼곤 한다.

아주 예전부터 지금까지, 나는 아버지의 부재로 인해 가슴앓이에 시달리고 있었다. 그 '트라우마' 는 지금도 치유되지 않고 있다. 부재와 존재는 '있고 없음' 이라는 언어적 차원을 떠나, 어떤 상황에는 치유하기 불가능한 트마우마를 남기기도 하는 법이다.

그때 그 시절, 이 도시에 무자비한 폭력이 쏟아졌을 당시 내 나이는 겨우 열다섯 살에 불과했다. 그 시절의 처참한 상황이나 아버지의 부재에 대한 두려움이 어떠했는지 유별나게도 또렷하게 기억하고 있다. 그럴 수 있었던 이유는, 그때 그 시절의 이야기를 귀에 못이 박히도록 들어서 마치 진짜 기억처럼 변해 버렸기 때문이다.

그해 오월, 어머니가 나의 바깥출입을 막아 하루 종일 방 안에서 웅크리고 지냈다. 나는 사람이지만 마치 여름잠에 빠진 달팽이처럼 껍데기의 뚜껑을 닫고 몇 날 며칠 동안 실컷 잠들었다가 깨어나기를 반복했다. 비몽사몽간에 콩 볶는 총성을 들었고, 공룡 같은 탱크들의 캐터필러 소리를 들었고, 하늘을 비질하는 듯한 헬리콥터 프로펠러 소리를 들었다. 내 나이 때 그런 소리를 들으면, 만화영화 보는 재미를 느끼기 십상이다. 그런데 왠지 모를 불안감이 어스름처럼 내려앉는 것을 느꼈다. 그건 순전히 아버지의 빈자리 때문이었다. 아버지는 며칠 동안 귀가하지 않고 있었다. 만약에 아버지가 내 곁에 있어 주었더라면 그런 소리들이 만화영화 속의 효과음처럼 신나게 느껴졌을 게 분명하다.

아버지의 부재에 따른 불안감은 때 아닌 계절에 눈덩이처럼 부풀어지고 있었다. 어느 날 꼭두새벽이었다. 어떤 누나의 처량하면서도 다급한 목소리에 소스라치게 놀라 잠에서 깨어났다.

"시민 여러분, 지금 계엄군이 쳐들어오고 있습니다. 사랑하는 우리 형제, 우리 자매들이 계엄군의 총칼에 숨져 가고 있습니다. 우리 모두 일어나서 계엄군과 끝까지 싸웁시다……."

나는 어리둥절한 가운데, 그동안 끝없이 짓눌렸던 불안감을 잠시 잊을 수 있었다. 그 누나는 북한군이나 일본군이 쳐들어왔다고 말하지 않았다. 분명히 '계엄군'이라고 했다. 도대체 '계엄군'이 무엇이며 왜 쳐들어왔고, 그들이 어느 나라 군대일까 하는 의문에 빠져들었다.

나는 벌떡 일어났다. 아버지는 여전히 부재중이었다. 소식이 없는 아버지를 더욱 애타게 기다리며 창문 밖의 도심지 쪽을 바라보았다. 벽시계를 보니 새벽이었지만 도심지 상공은 대낮처럼 밝았다. 멀리서 들려오는 총소리는 함석지붕 위에서 요란을 떠는 장대비였다. 곧 천둥벽력이 칠 것만 같았다. 아버지의 부재를 재차 확인한 순간, 나는 똥이 마려워 쩔쩔맸다. 하지만 우리 아파트 공동 화장실에 가는 것이 무서웠다. 괄약근을 계속 조이며 참았다. 눈치를 챈 어머니가 신문지를 방바닥에 깔아 주며 일을 보라고 했다. 나는 끝내 똥을 싸지 못하고 참았다.

아버지의 부재는 계속 이어졌다. 어머니의 이야기에 따르면, 7년간 돌아올 수 없다고 하더니 얼마 후에는 3년간 돌아올 수 없다고 했다. 3년이 얼마나 긴 세월인지 헤아리며 힘든 시기를 보냈다. 한참 아버지에게 투정 부리고 사랑받을 나이에 모든 걸 포기하고 견뎌야 했으니까. 그 후, 잠을 자고 깨어나기를 수없이 반복하며 손가락을 꼽아도 애타게 기다렸던 아버지의 모습을 볼 수 없었다. 오월 그날 이후에는 총소리와 캐터필러, 프로펠러 소리도 들려오지 않았지만 나의 불안감은 계속 쌓이고 시멘트처럼 굳어갔다. 나는 그런 종기쯤은 아랑곳하지 않았다. 그 종기를 탱자 가시로 터트리지 않아도, 아버지가 귀가하기만 하면 씻은 듯이 낳게 될 거라고 확신하고 있었기 때문이다.

해가 세 번 바뀌었다. 내 나이 열여덟 살인 1983년 12월 25일이었다. 나는 그때쯤 비로소 산타 클로스 할아버지가 실제로 존재한다는 것을 믿게 되었다. 산타 클로스 할아버지의 선물처럼, 아버지가 나를 찾아왔던 것이다. 나중에 알게 된 사실이지만, 성탄절 특사라는 명목으로 형 집행 정지가 떨어졌다. 아버지가 귀가하게 되면 끝없이 부풀어 오른 나의 종기가 순식간에 치유될 줄 알았는데 그건 착각이었고 소망에 불과할 뿐이었다. 아버지는 예전의 아버지가 아니었다. 너무나 많이 변해서, 아버지를 빼닮은 다른 사람이 찾아왔는지도 모른다는 착각이 들기도 했다. 귀가한 아버지는 내리자마자 흔적도 없이 사라져 버린 첫눈처럼 보였다. 돌아오자마자 다시 내 곁을 떠났다. 그동안 아버지는 상무대 영창에 수감된 채 혹독한 고문을 받았다. 아버지는 자살을 기도하며 영창 벽에 머리를 찧은 적이 있었고, 고문 후유증으로 정신질환이 생겼다고 했다. 그래서 귀가한 지 얼마 지나지 않아 정신병원에 입원과 퇴원을 밥 먹듯 반복했다. 퇴원했을 때는 걸핏하면 길거리로 뛰쳐나가 횡설수설을 늘어놓거나 상의를 벗어젖히 하늘을 향해 삿대질했다. 그러는 동안 아버지의 부재에 따른 나의 불안감은 더욱 커졌고 부끄러워서 얼굴을 내놓고 다니지 못했다.

세월이 한참 지난 후, 아버지에게 애증의 대상이었던 해태 타이거즈가 9차례 우승한 이듬해 8월, 당신은 하늘나라로 훌쩍 떠나갔다. 그건 영원한 '불귀' 였고, 내 몸뚱이에 영영 지울 수 없는 문신처럼 불안감이 새겨져 버린 사건이었다.

"얼레리 꼴레리, 얼레리 꼴레리! 경모 아빠는 빨갱이라네! 경모 아빠는 또라이라네!"

마을 개구쟁이들은 모기떼였다. 나는 뭐라고 항의하거나 싸워 볼 용기를 잃고 죄라도 진 사람처럼 고개를 수그린 채 비실비실 도망치기 시작했다.

"데끼, 이놈들! 그렇게 놀리며 못써! 경모 아빠는 그런 사람이 아니야. 알고 보면 훌륭한 사람이야."

구세주가 나타났다. 아버지의 친구, 인철이 아저씨였다. 나는 고개를 재빨리 돌려 아저씨를 바라보았다. 양손을 허리에 당당하게 붙이고 우뚝 서 있는 모습이 무등산처럼 듬직하고 믿음직스럽게 보였다. 아버지도 아저씨처럼 정신이 온전하고 당당해서 자랑스러웠으면 좋겠다는 생각이 들었다. 하지만 내 뜻대로 되지 않는 얄궂은 세상이었다.

아버지와 함께 목욕탕에 가서 벌거벗었을 때 수많은 흉터를 목격한 적이 있었다. 아버지가 매질을 당하고 총탄에 맞아서 그렇게 되었다는 이야기를 나는 들은 적이 있었다. 목욕탕 속의 다른 아저씨들 몸뚱이에는 그런 흉터가 없었다. 그런 점으로 보아 개구쟁이들이 놀렸던 것처럼 아버지는 빨갱이였을지도 모른다.

아버지가 제정신이 아니라는 것은 나뿐만 아니라 마을 사람들 모두가 알고 있는 사실이었다. 아버지는 정신이 맑을 때면 조개처럼 입을 오므린 채 창문 밖 하늘을 바라보거나 뭔가를 끄적거리곤 했다. 그러다가 "용수야, 상운아, 너희들 요즘 어떻게 지냈냐? 험한 세상 악착같이 살아야 한다"라거나 "야, 연락 좀 하지 그랬냐. 그동안 소식 한 번 주지 않다니, 너무나 무정하다, 인마"라는 말을 습관처럼 중얼거리곤 했다. 용수 삼촌은 아버지와 의형제를 맺은 사이였고, 상운 삼촌은 아버지와 함께 야학을 함께 이끌었다. 나는 그 삼촌들이 오월 그날에 총을 맞고 저세상으로 떠났다는 이야기를 여러 번 들었다. 그런데 아버지의 눈앞에 이미 죽은 그 삼촌들의 혼령이 나타나거나 살아 있는 사람처럼 찾아왔던 모양이다.

아버지의 그런 중얼거림은 정신이상 증세가 슬슬 도진다는 신호라서 나는 바짝 긴장할 수밖에 없었다. 어머니는 가장 역할을 하느라 닥치는 대로 막노동을 하고 있었다. 먹고사는 것도 문제였지만 아버지의 병원비가 배고픈 호랑이처럼 무서웠다. 그래서 아버지 곁을 지키는 일은 내 담당이었다. 아버지는 중얼거림이 끝나기 무섭게 갑자기 일어나서 아파트 벽에 머리를 찧었다. 그 다음 순서는 방문을 박차고 밖으로 내달리는 일이었다.

아버지를 찾아 주변을 헤매는 일이 결코 쉽지만은 않았다. 나는 마을 사람들의 시선이 껄끄러웠고, 또래 개구쟁이들에게 놀림

받는 것이 죽기보다 싫었다. 아버지가 정신질환을 앓지 않았다면 어느 누구보다 당당했을 나였다. 나는 공부도 잘했고 달음박질도 산토끼처럼 빨랐다. 어느 누구랑 싸움이 붙어도 지지 않을 자신이 있었다. 하지만 나는 비 맞은 병아리처럼 어깻죽지를 늘어트리고 시선을 땅바닥에 떨군 채 골목길을 돌아다녀야 했다. 그런 나날들이 계속 되던 중, 나는 아버지가 잘 머무는 곳을 알아내게 되었다.

우리 아파트 근처 큰 도로변에 전파사가 하나 있었다. 그곳은 마을 사람들이나 행인들에게 가장 인기 있는 장소였다. 전파사 창문을 통해 컬러텔레비전을 시청할 수 있었기 때문이다. 특히 프로야구를 중계할 때면 이십여 명의 사람들이 어깨를 맞대고 둘러서서 해태 타이거즈를 응원했다.

그 전파사 건너편에 무등경기장이 있었다. 관중들의 함성이나 노랫소리가 생생하게 들려올 정도로 가까웠다. 경기장 안으로 들어가려면 돈을 내고 표를 구해야 하는데 이곳에서는 야구경기를 공짜로 구경할 수 있었다. 그 전파사는 주머니가 얄팍한 이곳 사람들에게 구원과 감사의 장소였다. 특히 컬러텔레비전이 흔하지 않은 시대였고, 그 일대가 빈민촌이라서 인기 연속극이나 야구중계를 보려는 구경꾼들이 엄청나게 북적거렸다.

바로 그 전파사 앞은, 내가 아버지를 찾아낼 수 있는 중요한 장소요 길목이었다. 아버지는 항상 방문을 박차고 나간 후에 그곳 주변을 바장거리고 있었다. 내가 그곳에서 기다리고 있으면 어디선가 비칠거리며 나타나곤 했다. 그리고 프로야구 중계에 몰두하기 시작했다. 그러면 나는 한숨을 내쉰 뒤, 다른 사람들처럼 텔레비전 브라운관에 눈길을 줄 수 있었다.

야구를 향한 아버지의 관심과 열정은 뜨거웠다. 야구 규칙을 잘 알고 있었으며 야구에 대한 상식도 풍부했다. 간혹 구경꾼들이 야구 문제로 다투면 아버지가 규칙을 알려 주며 시비를 가려주기도 했다. 하지만 그건 정신이 온전할 때였다. 정신이 약간 흐려지기 시작하면 열정적인 응원을 하다가도 느닷없이 욕설을 퍼붓고 삿대질까지 해댔다.

"전대가리, 턱주가리, 지금 니네들도 프로야구 보고 있냐! 씨발, 좆나게 재밌냐?"

아버지의 말이 끝나기도 전에 구경꾼들의 얼굴에 두려운 빛이 감돌았다. 그중 한 사람이 아버지의 팔을 붙들었다.

"어이, 찬영이, 왜 이래! 함부로 지껄이다가 된통 당하고 싶어서 그래."

"씨발, 야구가 전부여? 홈런 날아갔다고 장땡은 아녀. 그런다고 다 파묻히느냔 말이여. 눈 가리고 야옹, 하면 그만인 줄 알아. 이런 염병할!"

"어허, 자네가 전생에 고양이였던 모양이군, 왜 발정 난 고양이처럼 굴어. 자식들을 봐서라도 이제 그만 제정신을 차려야지."

"에라이, 검은 고양이 네로, 로마제국의 네로 황제 같은 흡혈귀 전대가리야. 프로야구 좆나게 재미있지? 우리가 그렇게 만만하냐?"

아버지는 누군가에게 '검은 고양이 네로', '네로 황제', '흡혈귀 전대가리'라며 욕설을 퍼부었다. 나에게는 정신이 오락가락하는 아버지가 동요 「검은 고양이 네로」에서 나오는 가사처럼 "이랬다, 저랬다, 장난꾸러기"처럼 보였다. 아버지가 발작하며 이상야릇한 욕설을 내뱉을 때마다 내 가슴속의 상처는 더욱 심하게 곪아 가고 있었다.

"야! 홈런이다, 홈런! 해태 타이거즈 만세!"

아버지가 크게 소리를 지르고 나서 "이 세상에 해태 없으면 무슨 재미로 살까. 해가 떠도 해태! 달이 떠도 해태! 해태가 최고야!"라는 응원가를 힘차게 부르기 시작했다. 그 응원가는 가사가 곧바로 바뀌어 "해가 떠도 광주! 달이 떠도 광주! 광주가 최고야!"로 변했고, "광주시민 만세!"를 외치는 것으로 끝이 났다. 그 노래를 부르는 동안 아버지의 얼굴에서 장렬한 빛이 넘쳐흘렀으나 사람들은 그런 빛을 보지 못했는지 그저 재미있다고 낄낄거리기만 했다.

인철 아저씨의 호통에 모기떼 개구쟁이들이 자취를 감췄다. 아저씨는 나를 항상 지켜 주는 '흑기사'였다. 만약에 아저씨가 아버지였다면 단숨에 달려가서 가슴팍에 안겼을 것이다. 그렇게 하기가 어색하다는 것이 못내 아쉬웠다. 아저씨가 다가와서 내 머리를 쓰다듬어 주었다.

"경모야, 절대로 기죽지 말고 씩씩해야 한다."

"아빠가 또……."

"알았다. 나랑 함께 찾아보자."

아저씨가 내 손을 붙잡았다. 따스했을 뿐만 아니라 믿음직스러웠다. 아저씨와 함께 후미진 골목길을 걸어도 두려울 게 없었다.

"네 아빠는 훌륭하고 용감한 사람이었다. 부끄러운 일이지만 나는 그때 곤봉에 맞고 대검에 찔리는 시민들을 보며 분노가 치솟았지만, 계엄군들이 무서워서 도망쳤거든……."

아저씨와 아버지는 어린 시절부터 친구라고 했다. 인철이 아저씨는 아버지에 대한 모든 것을 잘 알고 있었다. 아저씨가 아버지 이야기를 들려주면서 한숨을 여러 번 내쉬었다.

아버지는 전남협동개발단 간사가 되어 이 지역에서 빈민운동을 펼쳤던 인물이었다. 이 지역은 빈민촌인데다 피난민과 실직자, 알코올 중독자가 많았다. 아버지는 소외받는 사람들과 함께 살아가겠다는 신조를 갖고 있었다. 그래서 주거환경 개선을 위해 노력했고, 어린이 주말학교를 개설하기도 했다. 그러던 어느 날, 이 도시에 무자비한 폭력이 쏟아졌다. 아버지는 계엄군의 만행을 지켜보고만 있을 수 없어서 들불야학 강학들과 뜻을 모아 투사회보를 만드는 등 항쟁지도부 기획실장으로 활동했다. 죽음을 무릎 쓰고 도청을 끝까지 사수하기 위해 싸우던 중 체포되어 상무대 영창에 갇혔다. 그로 인해 '내란수괴죄'와 '간첩'이라는 낙인이 찍히게 되었고, 모진 고문까지 받아야만 했다. 그 후, 한동안 수감되었다가 풀려나게 되었으나 정신질환을 얻어 병원과 집을 오가는 신세로 변했다.

세월이 흘러 전두환정권에 이어 노태우정권이 시작되었지만, 세상은 달라진 것이 없었다. 그날의 오월에 이어 '6월 항쟁'의 거센 바람이 국토를 휘몰아쳤어도 군사정권은 얼굴만 살짝 바뀌었을 뿐 본질은 그대로였던 것이다. 수많은 사람들이 암흑의 시대가 걷히기를 기원하며 피와 목숨을 민주의 제단 위에 받쳤으나 모든 것은 요지부동이었다. 나 역시 의미 없는 나이만 들어서 턱 주변에 수염이 검실검실해졌을 뿐이지 모든 것은 불안과 초조에 떨어야 했던 어린 시절 그대로였다. 굳이 달라진 것을 꼽으라면, 점점 심해지는 아버지의 정신질환 증세로 인해 곪은 부위가 걷잡을 수 없을 만큼 커졌다는 점이다.

내가 사는 시민아파트도 예전의 상황이나 모습에서 전혀 변한 게 없었다. 한 집이 각각 10평으로 방이 2개씩이었고, 각 층마다 하나씩 있는 세탁실과 화장실은 공동으로 사용하게 되어 있었다. 게다가 그 화장실은 수세식이 아닌 재래식이었다. 아무튼 그날 저녁, 나는 책상에 앉아서 공부를 하고 있었다. 하지만 글자가 눈에 들어올 리 만무했다. 오랜만에 퇴원한 아버지가 옆방에서 뭔가 기록하고 있었는데 혹시나 무슨 잘못이라도 벌어질까 봐 나는 촉각을 곤두세우고 있었다.

"용수야! 상운아!"

아버지의 울부짖음에 가까운 목소리가 벽을 뚫고 들려왔다. 그 삼촌들이 죽은 지 언제인데, 아버지는 아직도 살아 있는 것으로 착각하고 있었다. 여유 있게 이것저것 생각하고 있을 겨를이 없었다. 이미 예정된 순서처럼 머리로 벽을 찧는 소리가 들려왔다. 방문을 박차는 소리도 들려왔다. 나는 반사적으로 몸을 일으켰다. 옆방으로 가 보았으나 아버지는 벌써 사라지고 없었다. 재빠르게 뒤따랐다. 아파트 앞 골목길에는 비닐봉지나 휴지 조각만 널려 있을 뿐 인적이 느껴지지 않았다. 누군가가 담장이나 전봇대에 갈겨 댔던 오줌발에서 번져 나오는 암모니아 냄새, 취객이 저질러놓은 토사물 냄새만 없었더라면 오래전에 폐촌이 되어 버린 마을로 보이기 십상이었다.

무더운 공기를 가르며, 전파사 쪽으로 달려갔다. 거기에도 아버지는 없었다. 집집마다 텔레비전을 갖고 있는 세상이라서 이젠 사람들이 북적이지도 않았다. 전파사 건너편 무등경기장 쪽의 하늘이 훤했다. 야간경기가 열리는 날인 모양이었다. 경기장의 환한 불빛이 오월 그날 꼭두새벽에 대낮처럼 밝았던 도심지 상공을 그대로 재현하고 있었다. 아버지는 그날 새벽에 의형제인 용수

삼촌과 동지인 상운 삼촌을 잃었다. 그리고 아버지는 체포되어 상무대 영창에 수감되었다. 이야기로만 들었던 사연인데도 직접 목격하거나 경험했던 것처럼 내 눈앞에서 생생하게 나타났다 사라지곤 했다. 나는 가슴을 움켜쥔 채 무등경기장 하늘 위로 솟구치는 환한 불빛을 멍하니 바라보았다. 가슴을 움켜쥔 손아귀 안에는 비수에 찔린 듯한 통증이 샘솟듯 솟구쳤다. 그 통증이 손가락 사이를 비집고 나와서 핏방울처럼 뚝뚝 떨어지기 시작했다.

"경모 아니냐. 무슨 일이냐?"

인철이 아저씨였다.

"아저씨! 또……."

나는 제자리에 주저앉을 것 같은 통증에 시달리느라 말을 더 이상 이어가지 못했다.

"퇴원했다더니 이번에도 집을 뛰쳐나간 게로구나. 짐작이 가는 데가 있다. 저번에도 그곳에서 네 아버지를 여러 번 본 적이 있거든. 나를 따라와라."

아저씨를 따라갔다. 잠시 후였다. 무등경기장 앞은 인산인해였다. 거대한 폭력이 휩쓸고 지나갔던 도시가 맞나 싶은 생각이 들 정도로 흥청거리고 있었다.

"들어가서 네 아버지를 찾아보자."

아저씨뿐만 아니라 나도 아버지가 무등경기장으로 갔을지 모른다는 예상을 이미 했던 터였다. 경기장 매표소 부근을 샅샅이 뒤져보았으나 아버지는 그림자도 보이지 않았다. 아저씨가 표를 끊어 와서 나에게 내밀었다. 경기장 안으로 들어갔다. 사람들이 우글거렸다. 갈대숲을 뚫고 다니듯 샅샅이 뒤지고, 관람석 가장 높은 곳으로 올라가서 독수리의 눈으로 찾아보았으나 아버지는 찾을 수 없었다. 야구경기가 시작될 무렵, 나는 두 다리에 힘이 빠져 털퍼덕 주저앉고 말았다.

"경모야, 어쩔 수 없다. 이왕 이렇게 된 김에 야구나 구경하고 가자. 너희 아버지가 큰 사고를 칠 사람은 아니니까 찾지 못했다고 해서 너무 걱정하지 마라."

인철이 아저씨가 내 등을 토닥거려 주었다.

해태 타이거즈 이종범 선수가 안타를 치고 1루에 나갔다가 2루와 3루를 연이어 훔런을 치자 환호성이 밤하늘을 갈랐다. 그동안 '영원한 홈런왕' 김봉연도 '오리궁뎅이' 김성한도 은퇴하고 말았다. 하지만 연이어 나타난 '국보급 투수' 선동열과 '야구천재' 이종범 선수 등이 '해태 왕조'를 수성하며 9번째 한국시리즈 우승을 쟁취하기 위해 거침없이 달려가는 중이었다.

해태 아줌마가 나타나서 응원을 이끌어 나가기 시작했다. 먼저 '삼삼칠 박수'로 사람들의 시선과 힘을 모았다. 이어서 '전라도 애국가'라고 했던 「목포의 눈물」을 해태 아줌마가 선창하자 사람들이 일제히 제창하기 시작했다.

"사공의 뱃노래 가물거리면 삼학도 파도 깊이 스며드는데 부두의 새악씨 아롱젓은 옷자락 이별의 눈물이냐 목포의 설움…….”

누가 먼저 시작했는지 모르겠지만, 대부분의 사람들이 옆 사람과 어깨동무를 하고 파도처럼 출렁대고 있었다. 해태 아줌마가 그 물결을 타고 두둥실 떠다니며 한스러운 춤사위를 펼쳐 내더니, 노래가 끝나자마자 “느그들 참 짜안해야”라는 말을 입버릇처럼 흘려냈다. 나는 아버지를 찾아 무등경기장에 왔다는 사실을 잠시 잊은 채 파도처럼 출렁대는 사람들과 해태 아줌마를 물끄러미 바라보고 있었다.

“아저씨, 뭐가 짜안하다는 걸까요?”

“뭐, 그날의 한을 풀지 못하자, 그 대신에 야구를 통해 한을 해소해 보려고 몸부림치는 사람들이 짜안하게 보였던 거겠지.”

아저씨의 말대로 사람들이 어깨동무를 하고 만들어 내는 거대한 파도는 통한의 물결이 넘실대는 것이나 다를 바 없었다. 나는 그동안 내 가슴속에만 종기가 솟아 있고 썩어 문드러진다고 여겼다. 그런데 해태 아줌마도, 관중들도, 이 도시 전체가 통한에 흠뻑 젖어 있었던 것이다. 불현듯 아버지의 모습이 떠올랐다. 초점을 잃은 것 같으면서도 날카롭게 벼려진 눈빛, 갸름한 얼굴에 광대뼈가 튀어나온 모습, 멀쑥한 체형, 그 모든 것은 뼈와 살로 이루어진 것이 아니라 통한과 분노로 빚어진 초상임에 틀림없었다.

“아저씨, 그만 구경하고 밖으로 나가게요.”

내가 야구경기에 흥미를 잃고 자리에서 벌떡 일어났다. 아저씨는 이유를 묻지 않고 뒤따라 일어서며 "그래, 짜안하고 말고. 어디에도 하소연하지 못하는 '가슴애피'를 어쩌란 말이냐"고 중얼거렸다. 긴 한숨이 뒤를 이었다.

무등경기장 근처의 돼지국밥집은 경기가 끝나자마자 몰려올 손님 맞을 준비를 하느라 분주했다. 표를 구하지 못해 경기장 안에 들어가지 못한 것으로 보이는 젊은이 세 명이 야구경기를 텔레비전으로 시청하면서 술잔을 기울이고 있었다. 아저씨와 나는 그들 옆 식탁에 앉아 주문했던 국밥과 돼지 머리 고기 한 접시를 기다리고 있었다. 주인아주머니가 날카로운 식칼로 머리고기를 썰기 시작했다. 그녀의 눈빛이 식칼만큼이나 날카로웠다. 식칼과 눈빛이 스쳐 지나갈 때마다 돼지 코와 혀가 한 점씩 잘려 나갔다. 그럴 즈음, 옆 식탁에 앉은 젊은이들의 주고받는 이야기 소리가 들려왔다.

"정말 대단해. 열악한 조건에도 불구하고 한국시리즈 여덟 번이라는 금자탑을 세워 해태 왕조라는 말까지 들었으니까 말이야. 올해도 틀림없이 우승해서 도민들의 원통한 마음을 조금이나마 치유해 주겠지."

"악바리 근성으로 우승을 일궈 냈지 뭐. 그런 일 없었다면 우리 한이 조금이나마 풀렸을 리가 있겠어. 해태 타이거즈가 정말

고마워."

"그건 그렇지만, 프로야구가 탄생한 비화를 알게 되면 술맛이고 뭐고 다 달아나고 말 거다."

"뜬금없이 무슨 소리야?"

"넌 잘 모르는구나. 오월 그날 이후에 전대가리가 '3S'라는 우민정책 일환으로 프로야구를 출범시켰다는 거야."

"3S라면, 스크린, 스포츠, 섹스 말이지?"

"그래, 그거야. 대중을 그쪽으로 유인해서 정치적 무관심 속에 빠트리고, 지배자 마음대로 해 보려는 꼼수나 술수를 쓰는 거 말이야. 그러니까 전대가리가 오월 그날을 스리슬쩍 덮어 버리거나 물 타기 해 보려고 그런 개수작을 벌였다는 거지……."

"그랬는지 어쨌는지 모르지만, 긍정적인 면도 있다고 봐야 하지 않을까. 프로야구가 우리나라 스포츠에 끼친 영향을 무시하면 안 되거든."

"씨발, 스포츠 강국이 되면 억울하게 돌아가신 분들이 되살아나기라도 하는 거야 뭐야. 한 번 개수작은 영원한 개수작일 뿐이야."

"인마, 잡혀가면 어쩌려고 그래. 목소리 낮춰."

"씨발, 마당은 비뚤어져도 장구는 제대로 치고, 입은 비뚤어져도 말은 바로 하라고 그랬다. 툭 까놓고 말해서, 그때 얼마나 많은 사람이 죽었냐. 너 '오월의 노래' 알지? '왜 쏘았니, 왜 찔

렸니, 트럭에 싣고 어디 갔니…….' 바로 그거야. 왜 그런 것들을 만천하에 밝히지 않느냐, 이거야. 특히 발포 명령자가 누구인지 아직도 모르잖아. 그런 진실이 제대로 밝혀지지 않는 한 우리 가슴은 계속 썩어 문드러지게 되어 있어. 그 짜식들이 감추려고 바둥대지만 어림없어. 언젠가는 밝혀지게 될 거야. 두고 보라고."

"야, 스포츠를 너무나 부정적으로만 보지 마라. 프로야구 없었으면, 지금쯤 수많은 도민들이 화병으로 죽었을 거야. 인마, 해태 타이거즈의 한국시리즈 우승은 우리한테 비상구요, 탈출구, 신비의 명약이었어, 알기나 해?"

"짜식, 네가 말하는 신비의 명약은 알고 보면 마약이야, 인마."

"어허, 잘난 투사 한 분 나셨네. 인마, 오월 그날, 네가 만약에 청년이나 어른이었다면 과연 도망치지 않고 총을 들고 싸웠을까? 어디 말해봐."

나는 그들의 대화를 묵묵히 들으며 돼지국밥 속에 들어 있는 내장을 질겅질겅 씹고 있었다. 아저씨 역시 술잔을 말없이 기울이고, 검붉은 선지로 가득 채워진 순대 한 점을 질겅질겅 씹기 시작했다.

내 아버지는 정신병동 옆 야산에서 숨진 채 발견되었다. 아버지는 상무대 영창에 수감되었을 때 머리를 시멘트벽에 찧으며 단숨에 목숨이 끊어지기를 원했다. 그런 죽음을 통해 그날의 신념을 널리 알리고 싶었을 터였다. 그런데 뜻을 이루지 못하고 무려 20년 가까이 정신질환을 앓으면서 느릿느릿 죽어 갔다. 당신은 도청 회의실에서 체포되는 순간부터 기나긴 '회저의 시간' 이 찾아오리라는 것을 예견하고 있었는지도 모르겠다. 정신이 간혹 맑아지기라도 하면 비망록에 그날의 사연들을 한 자 두 자 자세히 기록해 놓았다. 이제 아버지는 이 세상에 없고 비망록만 깃발처럼 펄럭이고 있다.

어린 시절, 나는 아버지를 이해하지 못했다. 내 가슴속만 썩어 문드러지는 줄 알았는데, 그게 아니었다. 아버지가, 이 도시 사람들 모두가 집단으로 썩어 문드러지며 새살이 돋는 그날을 애타게 갈구하고 있었다.

어른이 된 지금, 아버지가 사뭇 그리워서 구 도청 앞 원형 분수대 가장자리에 앉아 마지막으로 결사적인 전투를 벌였던 회의실을 바라본다. 그날의 오월은 끝난 것이 아니라 현재진행형이다. '회저의 시간' 은 아직도 흐르고 있다.

아버지가 창밖으로 총구를 겨눈 채 먼 하늘을 한동안 응시하고 있다. 무얼 생각하고 있는 것일까. 별안간 기관총 소리가 울려 퍼지며 회의실 유리창이 산산조각으로 깨진다. 그와 동시에 아버지의 모습도 사라진다. 아버지의 꿈과 희망이 허무하게 스러졌을 것이다.

나는 자리에서 일어나 회의실을 향해 묵념한 뒤, 터벅터벅 걸어 금남로를 지나고 충장로에 접어든다. 그날의 흔적은 어디에도 찾아볼 길이 없다. 행인들의 밝은 목소리와 행복한 웃음소리만이 여울처럼 흐르고 있다. 그들은 피 칠갑으로 변했던 그날의 사연들을 혹시 알고 있기나 할까. 팔짱을 다정하게 끼고 커피숍으로 들어가는 청춘남녀의 모습이 에빙하우스의 '망각곡선' 너머에서 신기루처럼 일렁거린다. 어지럽다. 현기증을 붙들려고 이마를 짚는 순간, 중앙우체국 모퉁이에서 펑퍼짐하게 앉아 있는 어떤 여인을 발견한다. 예전에 비해 많이 늙었으나 한때 무등경기장에서 응원을 열정적으로 이끌었던 그녀가 틀림없다. 내 귓속에서 "느그들 참 짜안해야"라는 환청이 피어오른다.

매직풍선

풍선이 터지는 것은 쉬운 일, 그러나 터지기 직전의 풍선은 얼마나 무거운가, 훤히 들여다보이는데도 차마 그 부푼 속을 찌를 수가 없고, 그냥 두고 지켜보자니 그것이 조금씩 시들어 가는 동안에도 나의 절망은 무디어져 간다, 한 줄의 고통을 말하는 동안에, 연필이 무디어지듯이. 풍선은 터지기 쉬운 일, 탱탱한 풍선은 얼마나 무거운가.

– 나희덕, 『풍선은 얼마나 무거운가』

여자 연수생은 손에 노란 풍선을 들고 있었다. 여자는 부풀어 오른 노란 풍선을 바라보며 코를 찡긋하고 웃었다. 몽환적이었다. 순간 강사는 백치미가 저런 것일까, 싶었다.

다른 여자 연수생들은 운전하기 편하게 청바지나 면바지를 입었는데, 그녀는 아주 깔끔한 정장 차림이었다. 재킷 안에 받쳐 입은 아이보리색 블라우스에서 귀티가 풍겨났다. 가장 인상적인 것은 여자가 웃을 때 오른쪽 뺨에 드러나는 볼우물이었다. 강사는 그녀의 볼우물에서 일찍이 떠난 어머니 모습이 떠올랐다. 어머니도 웃을 때면 왼쪽 뺨에 볼우물이 생겼다.

"잘 부탁하네. 자네에게 도로연수를 특별히 부탁하는 건, 그동안 성실하게 지내는 모습이 마음에 들었고 우리 학원의 베테랑 강사이기 때문이네. 기간에 상관없이 충분히 지도해 주게. 강사료는 서운치 않게 지불할 걸세."

강사는 원장이 준 연수생의 등록된 카드를 보았다. 이름과 연락처가 있고 여자라는 것을 알 수 있었다. 원장이 특별히 부탁해서 그런지 모르지만, 강사는 여자 연수생에게 호기심이 생겼다.

여자는 도로연수 첫날인데도 서두르지 않고 연수차의 운전석에 차분하게 앉아 있었다. 강사가 차에 오르자 가볍게 고개를 숙였다. 바로 안전벨트를 매고 시동을 걸었다. 다른 연수생들처럼 호들갑을 떨지 않았다. 초보가 아니라 베테랑 운전자를 만난 듯했다.

강사는 연수차의 밀폐되고 좁은 공간 안에서 연수생과 나란히 앉아 있으면 상대의 숨소리뿐만 아니라 미세한 표정까지도 느낄 수 있었다. 여자가 침착한 자세를 유지하고 있긴 하지만 손가락 끝이 가늘게 떨리는 것으로 보아 긴장한 듯했다. 곁눈질로 그녀의 표정을 흘깃 바라보았다. 여자는 노란 풍선을 보며 웃던 모습은 사라지고 데스마스크처럼 굳어 있었다.

강사는 직업상 연수생들의 표정이나 움직임들을 놓치지 않아야 했다. 도로연수 중에 발생할지도 모르는 돌발 사고를 미연에 방지하는 게 중요 임무 중의 하나였다. 연수생들의 안전은 전적으로 그에게 달려 있어서 긴장의 고삐를 잠시도 늦출 수가 없었다.

"거, 어깨에 힘, 힘을 빼시고 긴장 푸세요. 잘 할 수 있습니다."

강사는 자신도 모르게 목소리에 힘이 들어갔다. 그가 심호흡을 했다. 오히려 강사가 더 긴장하고 있었다. 그는 도로연수를 시킬 때 조바심을 낸다거나 긴장한 적이 없었다. 오늘따라 이상했다. 정신을 바짝 차리려고 노력할수록 몸이 자꾸만 경직되었다. 그래도 직업의식이 남아 있어서 평소처럼 손가락 권총 자세를 취한 채 방향을 지시했다.

"운전에서 제일 중요한 건 엑셀러레이터와 브레이크입니다. 앞으로 갈 때 제대로 가고, 멈출 때 제대로 멈추는 것, 그것이 운전의 기본인 거 아시죠?"

여자의 표정이 굳어졌다.

"자, 엑셀러레이터와 브레이크를 한 번씩 밟아 보세요. 이 차는 보조브레이크가 있으니 걱정하지 마세요."

강사는 여자를 안심시키기 위해 작은 소리로 말했다. 연수차에는 안전을 위해 강사가 앉는 조수석에 보조브레이크가 설치되어 있었다. 보조브레이크는 연수 중에 발생하는 돌발 사고를 무난하게 대비할 수 있었다.

"자, 기어변속은 걱정하지 마세요. 제가 잡고 있으니까요."

여자가 기어변속 레버에 손을 올렸다. 여자가 잡은 변속기 위에 강사가 손을 얹었다. 기어변속 레버는 하나뿐이라서 여자의 손과 강사의 손이 겹쳤다. 그녀가 흠칫 놀라면서 몸을 움츠렸다. 강사는 모르는 척했다.

"서서히 브레이크에서 발 떼시고 천천히 엑셀러레이터를 밟아보세요."

여자가 엑셀러레이터를 너무 세게 밟아서 순간 차가 앞으로 쏠렸다. 강사는 보조브레이크를 밟아 차를 세웠다. 여자와 강사의 몸이 동시에 앞뒤로 쏠렸다가 멈췄다. 여자도 깜짝 놀랐는지 얼굴이 굳어졌다. 강사는 화가 났지만 참았다. 여자는 강사가 화내지 않고 오히려 친절하게 대해서 미안한 마음이 들었다. 강사가 긴장을 풀어주기 위해서 목소리 톤을 낮춰 천천히 말하자, 여자의 표정은 진지해 보였다.

"자, 할 수 있겠죠. 걱정하지 마시고 천천히 다시 해 보세요."

여자가 긴장한 얼굴로 엑셀러레이터를 밟았다. 서서히 차가 앞으로 나갔다.

"지금 아주 잘 하고 있습니다. 그렇게 하시면 됩니다."

강사도 긴장을 풀고 싶었지만 몸이 자꾸만 경직되었다. 다시 심호흡을 하고 평소처럼 손가락 권총 자세를 취한 채 방향을 지시했다. 여자는 강사의 말에 따라 움직였다.

"저, 전방 사거리에서 좌측 깜빡이, 네. 그렇죠. 방향지시등을 켜고, 좌회전해서 시 외곽으로 빠지세요. 도로연수를 처음 시작할 때에는 한적한 도로가 좋거든요."

여자는 운전에 점점 익숙해지는 듯했다.

연수차가 시 외곽 2차선 도로에 진입할 즈음, 강사가 놀라며 좌우를 재빨리 살폈다. 여자가 연수차를 학원에서 이곳까지 어떻게 운전해서 온 건지, 그 시간이 전혀 생각나지 않았다. 연수차를 운전한다기보다 순간 이동으로 이곳에 온 것처럼 느껴졌다.

강사는 미망에 빠진 것인지, 극도의 긴장에 휩싸인 것인지 알 수 없었다. 정신을 차리려고 태연함을 가장하기 위해 헛기침을 내뱉었다. 강사는 겸연쩍은 듯 오른손으로 슬며시 볼을 문질렀다. 눈 아래에 땀방울이 맺혀 있어서 손바닥으로 닦았다. 여자는 강사의 모습을 보고 자신도 모르게 희미하게 웃자 볼우물이 생겼다. 그 볼우물은 강사를 더 긴장되게 했다.

"강사님, 계속 직진할까요?"

"뭐라고요? 아, 직진, 그렇게 하세요."

강사의 지시가 끝나자, 여자가 엷게 웃었다. 강사는 평소에 버벅거리지 않았다. 오늘따라 혀가 계속 꼬여서 불편했다. 혀가 굳어 버린 것일까. 그는 입안에 있는 혀를 좌우로 연신 굴려 보았다. 특별한 이상이 없어 보였다.

"날씨가 참 좋네요."

강사 본연의 임무를 수행하기 위해 입을 다시 열었다.

"운전, 이거 어려운 게 전혀 아니거든요. 내 지시대로 따라 하세요. 그, 금세 손에 익을 테니까요."

강사가 눈을 살포시 감으며 어깨를 으쓱거렸다. 강사가 눈을 번쩍 떴다. 어느새 한 대의 승용차가 방향지시등도 없이 차선 변경을 하려고 끼어들었다. 그 순간이었다. 여자가 연수차를 멈췄다. 불안정하고 갑작스러운 제동이었다. 여자는 두려움을 이기지 못하고 그 자리에서 급제동하고 말았다. 여자는 아찔해서 핸들을 잡고 있는 손바닥에 땀이 고였다. 그녀가 핸드백을 열었다. 강사는 핸드백 속에 여러 개의 풍선들이 들어 있는 것을 본의 아니게 훔쳐보았다. 여자는 손수건을 꺼내 손을 닦았다.

'어린이도 아니면서 웬 풍선을…….'

강사는 시선을 차창으로 재빠르게 돌리면서 아무것도 못 본 체했다. 놀란 여자의 얼굴이 잿빛으로 변했다.

"시선을 멀리 두세요. 그리고 다시 추, 출발하세요!"

여자는 남들이 쉽게 하는 운전이 왜 유독 자신에게만 어려운지 모를 일이었다. 반대편에서 달려오는 승용차들이 연수차를 덥석 베어 물거나, 차가 그들의 범퍼로 속절없이 딸려 가서 굉음을 토해 내며 산산이 부서질 것 같았다.

어린 시절이었다. 자전거를 타고 싶었다. 자전거를 타고 들녘 끄트머리에 있는 산 너머까지 바람처럼 다녀오고 싶었다. 비 온 후 무지개가 걸리곤 하던 그곳에 무엇이 살고 있는지 늘 궁금했다. 아버지가 자전거 타는 법을 가르쳐주겠다며 밖으로 데려갔다. 뒤에서 잘 붙들고 있으니까 겁먹지 말라고 했다. 그런 말은 아무 소용없었다. 자전거 안장에 올라타기 전부터 두 다리가 사시나무였다. 아버지가 '힘을 빼고 균형을 잡아야 한다' 고 계속 가르쳐 주었지만 잘 되지 않았다. 자전거가 뒤뚱거리는 게 아니라 지진이라도 일어나서 땅이 거세게 흔들리는 느낌이었다. 그래도 균형을 잡으려고 용쓰면서 페달을 밟았다. 또래 아이들처럼 보란 듯이 자전거 페달을 밟고 싶었다. 자전거가 심하게 휘청거리다가 땅바닥으로 넘어졌다. 왼팔이 심하게 아팠다. 왼쪽 머리에서 피가 흘렀다. 아버지가 이 정도면 될 거라고 붙잡고 있던 손을 놓았던 것이다. 어쩌면 그 상황은 넘어진 것이 아니라 무지개 위에서 형편없이 추락한 꼴이었다.

아버지는 그녀에게 '새가슴' 이라고 놀리곤 했다. 그날 이후 여자의 별명은 '새가슴' 이었다. 새가슴을 남몰래 치유하는 방법은 풍선 불기였다. 풍선 주둥이에 입으로 바람을 넣는 순간부터 혹시 터지지나 않을까 무서워서 오만상을 찌푸리게 되었다. 하지만, 그게 쉽사리 터지지 않는 다는 걸 느낄 즈음 담력이 생겨 마음이 편안했다. 그녀에게 풍선 불기만 한 위안거리나 치유 도구는 없었다.

"창공을 날아다니는 게 승용차 운전보다 더 쉬울 것 같아요. 남들처럼 시원하게 달리고 싶은데 뜻대로 되지 않네요."

"질주 본능을 즐기고 싶은데 용기가 없으시다, 그건가요?"

"질주까진 아니더라도…… 속박에서 벗어나 달리고 싶은데 워낙 무서워서……."

여자가 뒤늦게 운전면허를 취득하려고 한 이유는 따로 있었다. 바람처럼 달려서 이런저런 속박의 그물을 벗어나게 되면 마침내 피안의 땅 어딘가에 도달할 것이라 믿었기 때문이다. 액셀러레이터를 밟고 속력을 내기 시작하면 가시 같은 두려움이 눈동자를 찔렀다. 차는 그대로 있는데 자신만이 바람을 가르며 화살처럼 튕겨 나가는 느낌이었다고나 할까.

여자는 불안감은 그런대로 견딜 만했다. 하지만 자신이 속력을 내는 게 아니라, 그와 반대로 블랙홀에 빨려 들어갈지도 모른다는 황당한 생각에 두려움이 앞섰다.

"속도 공포증? 처음에는 누구나 다 느끼는 증상이에요. 하지만 시간이 지나면 속도에 무감각해지기 시작하면서 과속을 일삼는 운전자들이 허다해요."

"속도위반을 하더라도 현실의 속박에서 벗어나 신나게 달려

보고 싶어요.”

여자가 운전을 하면서 말했다.

“무슨 힘든 일이 있나 봐요?”

“그냥 그렇다는 거죠 뭐. 그럼 다시 출발하겠어요.”

여자가 연수차를 움직이기 시작했다. 강사의 말이 느리고 말이 없어서 어눌한 사람인 줄 알았다. 그와 달리 말을 조리 있게 하고, 상대의 심중을 꿰뚫어 보는 안목이 있는 듯했다. 여자는 많은 이야기를 나누면서 마음을 안정시키고 싶었다. 하지만 더 이상 대화를 나누면 사생활이 노출될 것 같아서 말을 아꼈다.

간혹 말을 더듬던 강사의 입이 언제 풀렸는지 이야기를 했다. 독일에는 수십 년 전부터 운전 공포를 갖고 있는 운전자를 대상으로 하는 학원이 생겼다고 했다. 심리학자가 운전 공포증을 치료하려고 프로그램을 운용하는 경우도 있다고 했다. 겨우 이런 운전에 심리학자까지 나설 필요가 있느냐며 콧방귀를 뀌었다. 마음만 잘 진정시키면 운전만큼 쉬운 것도 없다며 여자의 용기를 북돋아 주었다.

며칠이 지나도 여자의 운전 실력은 나아지지 않았다. 강사로서 짜증이 날 법도 한 상황이었다. 연수생만이 아니라 강사의 능력도 동시에 부족하다는 평가를 받을 수 있었기 때문이다. 강사는 연수 과정에서 크고 작은 위기를 운 좋게 모면한 적이 있어서 가르치는 것을 포기해 버리고 싶은 마음이 들기도 했다. 하지만 그 여자의 도로연수 시간이 은근히 기다려지곤 했다.

'도대체 내가 왜 이러는 걸까?'

도로연수에 나설 때마다 자동으로 떠오르던 '몽환'과 '백치미'라는 단어 때문만은 아닌 듯싶었다. 그렇다면 여자가 들고 나타났던 노란 풍선과 핸드백 속에 들어 있던 풍선들 때문일까. 그것도 아니라면 그녀의 볼우물에서 먼저 내 곁을 떠난 어머니의 모습이 아른거렸기 때문일까. 여자가 했던 행동들이 떠올랐다. 노란 풍선을 들고 아이처럼 행복해하던 모습이 자꾸 눈에 선했다.

강사는 학원 대기실 창문을 바라보며 여자가 나타나기를 기다리고 있었다.

'이제 곧 한 마리의 나비가 날아오겠지. 어쩌면 오늘도 손에 풍선을 들고 있을지 몰라'

학원 대기실 벽시계에서 현재 시각을 확인해 봐도 될 텐데 핸드폰을 열었다 닫기를 반복했다. 지금까지 예약된 시각을 어긴 적이 없었다. 약속 시간만 되면 학원 정문 안으로 한 마리 나비가 날아 들어왔다. 그 날개 끝에서 향긋한 바람이 시나브로 일어나곤 했다. 오늘은 나비가 나타나기는커녕 오가는 사람도 없었다. 바람 한 점 느끼기 어려울 만큼 정지된 풍경이었다.

십 분이 지날 즈음, 정지된 풍경을 깨트리며 검은색 승용차가 정문 안으로 들어왔다. 딱정벌레 같은 승용차 속에서 여태 기다렸던 나비가 내리더니 날기 시작했다. 정장 대신 치마폭이 넓은 롱스커트를 입고 나타난 나비였다.

"아!"

전혀 예기치 못한 상황이라 강사의 몸이 경직된 듯했으나 그것도 순간이었다. 강사는 포충망을 들고 나비를 포획하려는 아이처럼 대기실 밖으로 허둥지둥 튀어 나갔다.

"늦어서 죄송해요."

강사는 여자와 눈을 맞추기 전에 딱정벌레부터 쳐다보았다. 고급 외제 승용차가 주차장 쪽으로 서서히 움직이는 중이었다.

"혹시 남편인가요?"

"그 사람은 나를 태워다 줄 만큼 한가하거나 자상한 사람이 아니에요."

"그럼?"

강사는 주제 넘는 질문이라는 생각도 못한 채 편하게 물었다.

"뭐랄까. 내 차를 운전해 주는 사람이에요. 시간에 쫓겨서 부탁할 수밖에 없었죠. 이젠 빨리 배워서, 남들처럼 신나게 달려 보고 싶어요."

"운전기사를 부릴 수 있는 경제적 능력이 있다면 핸들을 굳이 잡을 필요가 없잖아요?"

"내 손으로 운전해서 이 답답한 현실로부터 벗어나고 싶거든요."

"벗어나다니요?"

"운전기사를 붙여준 사람은 남편이에요. 그러니까 뭐랄까, 감시원을 붙여 놓았다고나 할까요? 외롭게 성장해 자수성가한 사람이라, 나를 의지하면서도 병적으로 집착하고 있죠."

"그건 사랑하기 때문일 거예요?"

"사랑? 사랑은 구속이 아니라 자유롭게 해 주는 거 아닐까요? 새장에 가둬 두지 않고 하늘을 날 수 있도록 해 주는 게 진정한 사랑이거든요."

웃는 여자의 오른쪽 뺨에 볼우물이 드러났다. 강사는 어머니가 자신의 가슴속으로 날아드는 환영을 느끼며 전율했다.

어머니가 먼저 떠난 후, 강사의 가슴은 어웅하게 뚫린 듯했다. 그 구멍 속으로 찬바람만 스쳐 지나가곤 했다. 어머니의 빈자리는 그 어느 것으로도 메꾸어 줄 수 없었다.

"길은 길을 따라 끝이 없는 것 같아요. 가도 가도 끝이 없는 길을 갈 수밖에 없는 사람들은 슬픈 짐승인가 봐요."

여자의 애처로운 목소리가 강사의 흐트러진 정신을 바로잡아 주었다.

"오늘은 잘 할 수 있겠죠? 배운 대로만 하면 운전은 쉽다는 거 아시죠. 시선을 멀리 두고 운전하세요. 승용차 운전은 자전거 타기보다 훨씬 쉬워요."

“강사님, 자전거는 경이와 두려움의 상징이에요. 두 개의 동그란 원이 땅 위에 똑바로 서서 달린다는 건 매직이요 불안정의 극치거든요. 차라리 이렇게 하늘을 나는 게 쉬울 것 같아요.”

여자는 액셀러레이터를 밟아 속도가 올라가면 거기에 비례해 두려움이 솟구쳐서 브레이크페달을 밟아 버렸다. 그 바람에 두 사람의 몸이 휘청거렸다. 그녀는 강사가 가르쳐 준 대로 ‘일체유심조’를 떠올리며 두려움을 떨쳐 버리려고 했으나 그다지 소용없었다.

‘달리지 않으면 속박에서 벗어날 수 없어. 달리고 싶으면 일단 두려워하지 않아야 해. 이젠 벗어나야 해. 제발.’

잠시 후, 한적한 2차선 도로 위였다. 덤프트럭이 느닷없이 나타났다. 그건 덤프트럭이 아니라 가장 무섭고 사나운 ‘티라노사우스’라는 육식 공룡이었다. 오죽했으면 녀석의 별명이 ‘폭군 도마뱀’이었을까. 불을 밝히지 않은 헤드라이트가 마치 굶주림을 참지 못해서 악착같이 덤벼드는 녀석의 눈동자 같았다. 거대한 바퀴는 녀석의 강한 턱과 30센티에 달했다는 이빨이랑 비슷했다. 가까이 다가오면서 토해 내는 포효가 워낙 커서 귀가 먹먹해지고 말았다. 덤프트럭의 경적이 공룡처럼 울부짖지 않았지만, 여자는 녀석이 상대 먹잇감의 기를 죽이기 위해 포효하는 것으로 느꼈다.

“운전대가 흔들리면 위험해요! 잘 잡으세요.”

강사가 다급하게 외쳤다.

여자의 손이 바들바들 떨리는 바람에 연수차가 심하게 흔들렸다. 그러자 마주 오던 덤프트럭이 운전 똑바로 하라며 경적을 울린 것이다. 그런 상황에 직면하자 여자의 두려움이 더욱 증폭되었다.

강사가 왼손으로 핸들을 붙잡아 차의 흔들림을 막았다. 그가 핸들을 돌리며 보조브레이크를 차분하게 밟아 갓길에 정차시켰다.

"뒤따르는 차가 추돌하지 않도록 비상등을 켜는 게 좋아요."

강사가 소리쳤으나 여자는 혼이 빠져서 어찌할 바를 몰랐다. 강사가 오른손을 뻗쳐 비상등 단추를 대신 눌렀다. 그때서야 여자가 의자에 머리를 털썩 기대며 눈을 질끈 감았다.

"제기랄. 운전 감각이 왜 그 모양이에요. 벌써 네 번째 도로연수예요. 자칫하면 큰일 날 뻔했다고요."

강사의 입에서 퉁명스러운 소리가 튀어나왔다. 여자는 그런 소리가 귀에 잘 들어오지 않았다. 티라노사우루스가 자신의 육신을 처참하게 물어뜯어 버렸을지도 모른다는 생각이 들자 머리를 바로 세우고 몸뚱이 아래위와 주변을 살펴보았다. 다행히도 아무런 이상이 없었다. 하지만 두려움이 가신 건 아니었다.

"전방에서 차가 나타나더라도 두려워하지 마세요. 내 갈 길만 제대로 가면 접촉사고가 일어나지 않거든요. 각자 자기가 가야 할 차로를 따라 달리기만 하면 사고가 발생하지 않는다는 이야기예요. 괜히 두려움을 느끼고 핸들을 좌로 꺾어서 중앙선을 넘으면 충돌이요, 우로 꺾어서 차선을 이탈하면 추락이에요. 더 살고 싶지 않으세요? 아직 더 살아야 할 거 아닙니까. 무슨 말인지 아시겠죠."

"아이, 무서워요. 남이 운전해 줄 때는 속도 공포증을 그다지 느끼지 않는데 제가 핸들을 잡기만 하면 이상해져요. 그렇다고 도로연수를 그만둘 수도 없고……."

여자가 핸드백을 열고 풍선 하나를 꺼냈다. 천진난만한 아이처럼 그 풍선을 입에 대고 불기 시작했다. 풍선이 조금씩 부풀어 오를 때마다 눈을 질끈 감았다 뜨기를 반복하면서 눈꺼풀이 바르르 떨리곤 했다.

강사는 여자의 풍선 불기를 이해하기 힘들었다. 풍선 하나가 금세 팽팽하게 부풀어 올랐다. 여자가 풍선 주둥이를 손으로 잡아 길게 늘여서 한 바퀴 돌리더니 바람이 빠지지 않도록 매듭지었다. 매우 익숙한 솜씨였다.

여자의 얼굴이 언제 그랬냐는 듯 밝아지기 시작했다. 여자가 또 하나의 풍선을 꺼내 불고 주둥이를 묶고 나서야 얼굴빛이 정상으로 돌아왔다. 그와 동시에 볼우물이 확연히 드러날 정도의 환한 미소를 지었다.

"자칫하면 접촉사고가 날 뻔했는데, 뭐하세요?"

강사는 여자를 한심하다는 듯 바라보며 큰 소리로 말했다.

조금 전에 덤프트럭과 접촉사고를 낼 뻔했을 때의 두려움이 여자에게 밀려왔다.

"왜 그렇게 멍하게 있어요. 이번에는 잘 달려 볼 테니까 두고 보세요."

여자가 낭랑한 목소리로 말했다. 강사는 어처구니가 없는지 아무런 대꾸도 하지 못한 채 고개를 끄덕거리기만 했다.

여자는 다른 차에 대한 두려움 때문에 도로연수를 열심히 해도 초보 운전에서 벗어나지 못했다. 강사가 안타까운 나머지 잔소리를 늘어놓아도 그다지 싫어하는 기색을 보이지 않고 계속해서 찾아왔다.

강사는 여자의 심리를 어느 정도 파악하게 되었다. 여자가 운전학원을 처음 찾아왔을 때 노란 풍선을 들고 있었던 이유도 알아냈다. 그녀의 핸드백 속 풍선들은 두려움을 이겨 내기 위한 일종의 치료 도구였다.

'세월이 약이라고 했지.'

강사는 여자의 연수 과정을 묵묵히 지켜보기로 했다. 강사가 안심을 시켜도 쉽게 나아지지 않았다. 조급하게 닦달한다고 해결될 일이 아니었다. 여자의 공포증은 그녀 스스로 해결할 문제였다.

강사는 속도 공포증을 갖고 있는 여자에게 짜증을 부리지 않았다. 오히려 두 사람이 연인처럼 다정하게 드라이브를 즐기는 착각에 빠지기 일쑤였다. 그녀의 미숙한 운전 실력 때문에 사고가 날 뻔해도 화를 내지 않았다. 오히려 놀이동산에서 롤러코스트를 함께 타고 있는 것처럼 적당한 재미와 스릴을 만끽했다. 그러던 중 강사가 정신을 번쩍 차렸다.

그는 운전학원 강사를 하면서 나름대로 정해 놓은 몇 가지 금기사항이 있었다. 첫째, 절대로 연수생과 함께 식사하지 않을 것. 둘째, 연수생이 여성일 경우 지나치게 사적인 관심을 갖지 않을 것. 셋째, 학원을 속이고 개인적인 연수를 하지 않을 것, 등이었다. 그는 자신이 정한 금기 사항들을 제대로 지켰을 때 여러 모로 편하다는 것을 잘 알고 있었다.

'혹시 내가…….'

강사가 머리를 절레절레 흔들었다. 언제부터인지 모르지만, 두 번째 금기사항이 서서히 허물어지기 시작했다. 도로연수가 끝나는 시각이 다가오면 아쉬움이 피어났고, 그녀가 가 버리면 길에서 뭔가 중요한 것을 잃어버리고 온 듯한 허탈감에 빠졌다.

강사는 여자의 몽환적인 모습이나 행동들이 자꾸 궁금해지기 시작했다. 속도 공포증에서 백치미가 엿보였고, 그녀의 볼우물에서는 어머니의 모습이 고스란히 투영되었다.

'이러면 안 되는데…….'

강사는 자신의 직업에 충실하려고 문득 떠오르는 그녀의 모습을 애써 지워 냈다.

어느 토요일 정오 무렵, 여자에게서 전화가 왔다. 강사는 도로연수를 일찍 끝마치고 돌아오는 길이었다. 여자는 강사에게 자신의 승용차에서 기다리겠다고 했다. 때마침 더 이상 오후 스케줄이 없어서 곧바로 찾아갔다. 운전기사가 보이지 않았다. 여자는 직접 운전하겠다며, 운전기사를 콜택시로 먼저 보냈다고 했다.

"내 승용차를 손에 익히는 것도 중요하니까 도로연수를 해 주세요. 오늘은 용기를 내서 직접 운전해 보고 싶어요. 타세요."

"제 나름대로 정한 금기사항이 있어서……."

"오늘이 생일인데 선물 주는 셈치고, 내 승용차로 도로연수를 해 주시면 되잖아요."

여자가 활짝 웃었다.

"일기예보에서 국지성 호우가 쏟아진다고 했어요. 빗길운전 조심하셔야 해요."

강사는 항거할 수 없는 이상야릇한 힘에 이끌렸다. 여자의 웃음은 마력이 있었다. 어쩌면 처음부터 여자 옆에 다정히 앉고 싶었을지도 모른다. 강사가 주변을 두리번거리면서 차에 올랐다. 연수생들을 가르칠 때마다 당당했던 모습은 어디론가 사라져 버리고 말았다. 이런 고급 외제차를 처음 타 보는 것도 있지만, 연수생과 강사라는 벽이 허물어진 공간 속에 앉아 있다는 게 불편하고 어색했다.

그런 감정을 털어 내기 위해 실내로 눈길을 돌렸다. 뒷좌석 콘

솔박스에 몇 권의 책이 있었다. 별다른 의미 없이 그 책의 제목들을 훑어보았다. 키에르케고르의 『죽음에 이르는 병』, 미르치아 엘리아데의 『성과 속』, 시몬 드 보부아르의 『제2의 성』 같은 서적들이었다.

강사는 '혹시 저 책들은 가진 자들의 과시욕이거나 돈만 아는 사람들이 핸디캡을 커버하려고 비치해 놓은 것일까' 라고 혼잣말을 했다.

강사는 아버지를 일찍 여의고, 대학 시절에 어머니마저 떠난 후, 누나 집에 얹혀살았다. 어머니의 간절한 바람과 그의 꿈은 법조인이 되는 거였다. 육법전서에 갇혀 지내느라 독서를 다양하게 하지 못했다. 고시를 실패하고, 취업문도 제대로 열지 못해서 운전학원 강사 일을 하게 된 지 십 년이라는 세월이 지났다. 그러는 동안에 닥치는 대로 책을 읽었다. 불혹을 바라보는 나이지만 아직 미혼이라 그런지 외로움을 느끼고 있었다. 이럴 때 인생의 동반자가 되어 준 친구가 바로 책이었다. 그중에 키에르케고르와 미르치아 엘리아데의 책은 읽은 적이 있었다.

"성과 속이라는 책에서, 성스러움은 속세에서 자신을 드러낼 수 있기에 인간의 양면성을 잘 보여 준다면서요?"

"미르치아 엘리아데를 책으로 만났던 적이 있나 보죠? 그래요. 인간은 성과 속이 가치지향점으로 작용한다고 해요. '속' 에는 자신을 뛰어넘는 권능의 의미가 함축되어 그 초월성을 드러내기도 하죠. 엘리아데는 이렇게 웅변하죠. 인간이란 세속적 존재임과 동시에 종교적 존재라고 말입니다."

"혹시 종교를 갖고 있나요?"

"그렇진 않아요. 그 책에서 말하는 것처럼, 저는 무신론자인데 종교의식을 행하면서 살아가는 사람이라고나 할까요. 풍선 불기도 일종의 종교의식 같은 거겠죠."

여자의 말은 차분하면서도 논리적이었다. 강사가 흠칫거렸다. 그녀가 당황하며 쩔쩔매기는커녕 정반대 현상이 벌어졌다. 강사는 책에 관해서 대화를 더 이상 이어 갈 필요가 없다고 판단했다.

"강사님, 극과 극이 하나라고 하듯, 성스러움과 세속은 같은 거 아닐까요? 아무튼 이런 이야기는 따분해요. 요즘 나는 운전을 사랑하느라 눈이 멀었거든요. 강사님, 질주 본능과 날고 싶은 욕망은 어떤 관계를 갖고 있을까요? 인간의 질주 본능은 날지 못하는 인간들에게 대체 욕망으로 작용하고 있는 듯싶어요. 대체만으로 끝나지 않을지도 몰라요. 내가 운전을 잘하게 되면 하늘을 날 거니까요. 저 하늘 끝, 우리 눈에 보이지 않는 곳까지 날아갈 거라고요."

"좋습니다! 힘차게 날아 보세요. 이번에는 고속도로를 달려 보죠. 뭐."

여자가 운전하는 승용차가 고속도로를 달리기 시작했다. 그녀는 오랜만에 독일 유학 시절을 떠올렸다. 결혼 전에 얼마간 사귀었던 한국이 유학생이 그녀를 태우고 아우토반을 달린 적이 있었다. 그 도로의 중앙분리대는 넓은 녹지대로 조성되어 있었다. 게다가 우리나라와 달리 화물차들은 통행금지 구역이라서 연인들이 드라이브를 즐기기에 최고의 장소였다.

독일의 자동차 전용 고속도로를 '아우토반' 이라고 하는데, 정식 명칭은 '라이히스 아우토반' 이었다. 아우토반은 속도제한이 없는 고속도로라고 알고 있다. 하지만 그런 구간은 절반 정도이고 나머지는 속도 제한을 하고 있었다.

그 당시 여자가 아우토반에서 드라이브를 즐길 때는 속도 공포감이 없었다. 모든 차량들이 교통질서를 잘 지키고, 계속되는 녹지대의 풍광이 막힌 가슴을 시원하게 뚫어 주었다. 속도제한이 없는 코스를 달릴 때에 약간의 스릴을 느끼기도 했다.

여자는 자신의 차라서 그런지 운전을 아주 잘했다. 여자는 시선을 멀리 보면서 주행차로를 따라 운행을 했다. 앞차와의 간격을 잘 유지하면서 주행했다.

여자가 강사를 힐끗 쳐다보았다. 강사는 연수차로 도로연수를 할 때는 쉴 새 없이 눈동자를 굴렸고, 좌우 회전을 지시하기 위해 습관처럼 손가락 권총을 내밀었다. 강사는 편안한 자세로 앞을 보고 앉아 있었다.

"강사님에게 운전면허증은 어떤 의미예요?"

"뭐랄까, 제 운전면허증은 곧 밥이죠. 뭐. 법학을 전공했는데 뜻을 이루지 못했거든요. 운전 학원 외에도 밤이 되면 간간이 대리운전을 해야 생계를 유지할 수 있습니다. 헬조선의 민달팽이 세대라서 어쩔 수 없죠."

"어머, 본의 아니게 아픈 곳을 찌른 것 같군요. 죄송해요."

여자가 미안한 듯 강사를 바라보았다. 강사는 첫인상처럼 순수하고 솔직한 사나이였다.

"강사님, 위로해 드리기 위해 하는 말이 아니라, 우리나라 현실이 너무나 어려워서 걱정이에요. 삼포세대가 오포세대로 변하고, 급기야 엔포세대로 변했으니 말이에요. 이건 심각한 사회문제거든요."

여자는 강사의 모습을 흘깃 쳐다보면서 연민의 정을 느꼈다.

"내 면허증의 의미는 날개예요."

여자의 말이 끝나기도 전에 강사가 목소리를 높였다.

"속도를 줄여요. 날기 전에 박살이 날지도 몰라요."

"뭐라고요!"

여자가 반사적인 동작으로 브레이크페달을 밟으면서 속도계기판을 바라보았다. 규정 속도를 넘어선 상태였다. 속도가 조금만 올라가도 두려움이 엄습했는데 어느새 그런 증상을 전혀 느끼지 못하고 있었다. 속도공포증이 어떻게 극복되었는지 도무지 알 수 없었다.

"내가 지금 그런 속도로 질주했단 말이에요? 정말, 이게 꿈은 아니겠죠?"

"대화를 나누는 동안에 계기판을 지켜봤는데, 속도위반 과태료가 부과될 정도로 달리더라고요."

강사가 너털웃음을 지었다. 여자가 엑셀러레이터를 다시 밟았다. 질주본능을 만끽하고 싶었다.

고속도로 주변의 관광지는 산책로 뒤로 사찰이 이어져 있었다. 산책로 인근에 호텔이 있었다. 비가 온다는 일기 예보 때문인지 관광지에는 사람이 별로 없었다.

두 사람은 운전의 피로를 씻기 위해 산책로에 야외용 돗자리를 깔고 마주 앉았다. 여자는 핸드백을 열더니 풍선을 내밀었다. 강사에게 풍선을 불어 달라고 했다. 풍선은 '파티용품 전문점'에서 구입한 거라고 했다. 강사가 풍선을 불기 시작했다. 처음에 글씨와 그림이 보이지 않다가 팽팽하게 불고 나면 숨어 있던 무늬들이 모습을 드러냈다. 새로운 풍선을 불 때마다 '축하해요', 'LOVE' 등 다양하게 나타났다. 그 다음 풍선에서 '생일 축하해요'라는 글귀가 나타나자, 강사가 덩달아서 웃었다.

"오늘이 생일이라고 그러셨죠? 마침 잘 되었네요."

강사가 건네준 풍선을 부둥켜안고 머리를 기대면서 눈을 지그시 감았다. 여자는 가슴에 안은 풍선을 한 개씩 서서히 날렸다. 그때, 다람쥐 두 마리가 어디선가 나타났다. 다람쥐가 달려가며 바람에 뒹굴고 있던 핑크빛 풍선을 뒤쫓아가고 있었다. 다람쥐 한 마리가 풍선 위로 올라갔다. 그 순간 펑, 소리와 함께 풍선이 시야에서 사라졌다. 놀란 다람쥐가 제 짝을 데리고 근처의 자귀나무 위로 쏜살같이 피해 버렸다.

"모든 것은 원래 없거나 허망한 것인지 몰라요. 이를 테면 꿈 같은 거 말이에요."

여자가 하늘을 올려다보며 중얼거렸다. 마침내 빗방울이 떨어지기 시작했다. 빗살무늬 빗줄기가 장대비로 변해 가고 있었다. 재빨리 돗자리를 걷은 강사는 여자의 손을 잡고 뛰었다. 차가운 빗줄기와는 달리 여자의 손은 의외로 따뜻했다. 강사의 심장이 뛰었다.

여자는 대학원에서 철학을 전공했다. 결혼 후 대학에서 학생들을 가르치는 동안 자신의 정체성에 대해 생각하며 자기회복을 위해 몸부림쳤다. 남편의 의처증, 대학 강사의 불확실한 미래 같은 요인들은 여자의 꿈을 빼앗아 버렸다. 마침내 땅바닥을 박박 기어다니는 괴물로 만들어 버렸다. 여자는 괴물 같은 인간들이 모인 곳에서 탈출하여 진정한 인간으로 거듭나고 싶었다.

강사가 손을 보며 중얼거렸다. 여자는 그런 강사를 말없이 바라보고 있었다.

먼 산에서 피어오른 안개가 서서히 두 사람을 감싸고 있었다. 여자는 눈을 감았다. 이 순간이 영원하기를 바랐다.

"비가 오려나 봐요. 하늘 높이 날아오르고 싶은데 말이에요……."

"빗속을 뚫고 날면 되잖아요. 갈매기와 비슷하게 생긴 슴새는 폭풍우를 뚫고 의연하게 날아 태평양을 횡단한다더군요."

안개에 취한 듯 가만히 있던 여자가 눈을 슬며시 떴다.

강사와 여자가 호텔에 들어왔다. 강사가 샤워를 마치고 나이트가운을 걸치고 나왔을 때, 여자는 고단했는지 가늘게 코고는 소리가 들렸다. 욕실 문 닫는 소리에 잠에서 깼는지 여자가 눈을 떴다. 여자의 이마에 가볍게 입맞춤을 했다. 강사는 여자의 입속으로 혀를 밀어 넣고 깊게 키스를 하고 몸을 열었다. 여자는 땀으로 흥건한 강사의 등을 쓸었다. 자신의 모습과는 모든 면에서 상반된 연상의 여자. 그것도 연수생인 여자와 금기사항을 어기고 어느새 마력에 취해 깊은 관계에 빠졌다.

여자는 새벽에 일어나 잠든 강사의 얼굴을 무심히 바라보았다. 강사의 잠든 모습이 낯선 곳에서 맞는 거리의 타인처럼 보였다. 그와의 관계가 갑자기 돌무덤에 깔린 것처럼 숨이 턱 막혀 오는 듯했다. 신기루가 없이는 사막을 걷지 못하듯 이상한 예감이 들었다. 남자는 신기루였다. 결코 손에 쥘 수 없는 신기루. 이제 내 길을 가야 할 시간이었다.

남편의 구속에서 벗어나고자 선택한 것이 운전 연수였다. 운전 연수를 하면서 조금씩 삶의 활력을 찾은 것 같았는데 허탈한 기억만 남았다.

여자의 마음이 떠난 자리에 또 다른 그림자의 잔영이 텅 빈 우물의 흔적처럼 도로에 깊게 패어 남았다. 여자는 이상을 꿈꾸며 달려온, 그 길 위를 비틀거리며 호텔을 빠져나왔다. 인적이 드문 산길을 따라 벼랑 끝에 있는 암자를 향해 끝없이 걷고 또 걸었다. 자유롭게 살고 싶어서 일탈을 꿈꾸며 살아왔던 날들이 여자의 목구멍에 가시처럼 걸려 있었다.

강사는 늦잠에서 깨어났다. 그는 누운 채로 팔을 뻗어서 여자를 안으려 했지만 잡히지 않았다. 여자의 자리에는 머리카락 몇 올만이 남아 있었다. 강사는 비틀거리며 일어나 호텔 주위를 돌았다. 강사는 서른아홉이 되도록 결혼도 못하고 이룬 것도 없이 마흔을 앞둔 자신이 한심했다. 강사는 알 수 없는 여자의 마력에 이끌려 여기까지 온 게 믿기지 않았다. 강사는 핸드폰으로 여자에게 전화를 했지만 신호음만 길게 울릴 뿐 아무런 응답이 없었다. 여자가 타고 왔던 승용차도 보이지 않았다.

"정신을 어디다 두고, 도대체 뭐하는 거냐고?"

연수생은 도로의 차선을 이탈해 위험한 곳에 운전을 하고 있었다. 강사는 양미간에 주름을 세우고 큰소리로 화를 냈다. 운전연수 지도를 제대로 하지 않은 것을 잊은 지 오래였다. 강사의 마음은 연수생보다도 여자를 찾는 일이 우선이라 여긴 탓에 예민하게 굴었다. 운전 연수 중에도 거리에 비슷한 여자만 보이면 차를 멈추게 하고 만나면 전혀 다른 사람이라 실망하고 돌아왔다. 강사는 그 여자와 다녔던 장소를 찾아다녔다. 하지만 그 여자의 흔적은 아무 곳에도 남아 있지 않았다.

그에게 여자의 존재는 미세한 작은 벌레가 살 속을 뚫고 들어가서 후벼 파내도 나오지 않는 무서운 독충 같았다. 그런데도 머리와 가슴은 따로 놀았다. 그 여자의 환영이 떠올라 견딜 수가 없었다. 사찰에 올라가 여자를 찾았지만 산 그림자만이 그를 반겼다. 그는 사찰의 연못 앞에 힘없이 주저앉았다. 무심한 시간의 기억을 가둔 길에, 깊숙이 패여 물웅덩이가 되었다. 그 웅덩이 속에 남루한 사내의 얼굴이 비쳤다. 강사는 산책길에서 사람들에게 떠밀려 갔다.

호텔 커피숍에 혼자 앉아 장대비가 내리는 풍경을 묵묵히 바라보았다. 마침 멧비둘기 한 마리가 테라스 처마 밑으로 날아와서 앉았다. 여자는 어디로 간 걸까. 어느 날 문득 왔던 것처럼 말없이 떠난 여자를 잊지 못한 강사가 홀로 앉아 있었다.

소나기가 아니라 하늘과 땅을 연결시켜 주기라도 하듯 수직하강하는 장대비가 이어졌다. 장대비에 한동안 기대고 있던 커피 아로마가 그 빗줄기를 타고 승천하기 시작했다.

배롱나무가 있는 주유소 풍경

주유소가 침수되기 시작한다. 근래에 손재수를 입더니 엎친 데 덮친 꼴을 당하고 만 셈이다. 나는 사무실 바닥으로 밀려들어 온 물 때문에 발을 한 번씩 번갈아 들었다 놓았다 하며 안달을 떤다. '육칠월 늦장마에 물 퍼내어 버리듯' 이라고 하더니 끝이 없다. 물은 짓궂은 악동들이 까불거리며 미끄럼을 타듯 거침없이 흐른다. 바닥이 흥건하게 젖어버린 것은 고사하고 전원이 차단되고 만다. 이미 젖은 오일 박스와 사무실 집기 등이 둥둥 떠다닌다. 머릿속에서 장마 물이 소쿠라지고 있는 듯하다. 현기증이 솟구친다. 나는 의자에 털썩 주저앉은 채 딸아이를 가슴 위까지 번쩍 치켜든다. 딸아이는 뭐가 그리 재미있는지 방실방실 웃는다. 나는 두 발을 추켜올리고 동동거린다. 물은 아주 당연하다는 듯이 신속한 동작으로 자신의 점령지역을 확대해 간다. 주유소 영업을 할 수 없는 상황에 처하고 만다.

직원들이 남편의 지시에 따라 빗물이 유입되는 목을 모래주머니로 간신히 막아 놓는다. 바가지로 물을 퍼내고 빗자루로 쓸어내린다. 마른 밀걸레로 바닥의 물기를 최소화시킨다. 그러는 동안에 주유하려고 진입해 온 차량들을 돌려보내고 만다. 거절을 당한 차량 중에서 한 대가 경적을 신경질적으로 울려대며 사라진다. 그럴 때마다 주유소 앞마당의 작은 화단에서 비를 맞고 있던 배롱나무가 민감한 반응을 보이며 몸을 비비꼬곤 한다. 종이처럼 가볍고 부드러운 자줏빛 꽃잎들. 누군가가 그랬다. 석 달 열흘을 피고 지고, 또 지고 피는 그 자줏빛 꽃잎들은 열꽃으로 피가 펄펄 끓어서 돋아난 화엄(華嚴) 자국이라고.

며칠 전의 육만 원짜리 주유 손님은 덜 삭은 생선의 비린내처럼 내 속의 모든 것들을 게워 내게 만들었다.

"손님, 육만 원 주유했는데 결제해 드릴까요?"

"아니 벌써 다 넣었단 말이야. 기름이 제대로 들어가기나 했나?"

숫제 반말 짓거리였다. 속이 상했지만 어쩔 수 없었다. 나는 코를 쑥스럽게 찡긋거리다가 살짝 웃어 주었다. 그런데 그 순간에 뜬금없이 몸이 가려워지기 시작했다. 몸 어딘가에 도사리고 있던 뜨거운 기운이 얼굴 쪽으로 치솟으면서 가려움증이 전신으로 퍼졌던 것이다. 왜 이런 증상이 생겨난 것인지, 가려움증의 진원지가 어디인지 알 수 없는 노릇이었다. 그 가려움증은 무시로 침범하는 게릴라였다.

"사람 마음은 속일 수 있어도 주유소 메타기는 거짓말을 못 한답니다."

"뭐야, 내가 헛소리했다는 거야. 어허, 주유할 때마다 흡사 도둑맞은 기분이 들더라니까, 글쎄."

손님이 승용차의 시동을 걸면서 투덜대더니 가속페달을 부러 강하게 밟는 듯했다. 내가 인사를 끝내기도 전이었다. 그는 황산화물과 일산화탄소 등을 한 움큼 뱉어 놓고 뺑소니쳤다.

"아이, 더러워. 이 짓도 못 해 먹겠어."

나는 장갑을 벗어던지며 사무실로 들어왔다.

법대를 졸업했던 남편이 고시에 몇 번 낙방했다. 그러던 차에 직영주유소에서 섭외가 들어왔다. 나는 남편이 법조인이 되기를 원했기에 그리 탐탁하게 여기지 않았다. 그런데 남편은 복권이라도 당첨된 것처럼 좋아했다. 나중에 자세히 알게 되었지만, 시할아버지와 시아버지가 대를 이어 석유판매상을 했던 끈질기고 깊은 인연이 복선처럼 깔려 있었다. 말이 반질반질한 석유판매상이었지 궁벽한 산촌에서 함석 되로 등유를 팔았던 구멍가게에 지나지 않았다.

남편이 회사 직영주유소를 계약했다. 그는 월급쟁이 사장을 시작하면서 나에게 아주 자랑스럽게 이야기했다.

"아주 예전에는 석유를 어떻게 생각했는지 알아? 돌을 삶아서 짜낸 것으로 알았다는 거야. 할아버지께서 말이지, 호롱불을 켰던 시절에는 석유를 '시구지루무'라고 했다는 거야. 그 석유가 바로 황금 방망이를 든 도깨비였어. 덕분에 우리 형제들이 모두 다 대학에 다닐 수 있었거든."

나는 주유소를 연 지 얼마 지나지 않아서 깨달은 것이 있었다. 주위 사람들이 흔히 알고 있는 것처럼, 휘발유나 경유가 참기름처럼 고소하지 않았다. 그뿐만 아니라 남편이 운운했던 '황금 방망이를 든 도깨비'는 가당치 않은 표현이었다.

이상한 예감을 던져 주는 전화벨 소리가 내 생각을 칼로 무 자르듯 한다. 불에 덴 듯 벌떡 일어난다. 수화기를 잡아챈다.

"사장님 있어요?"

여자의 예감은 날카롭다고 했던가. 그 여자의 목소리다.

"전화하지 말라고 했잖아요. 그렇지 않아도 주유소가 침수되어 속이 상해서 죽겠는데 무슨 전화질이에요. 왜 염장을 지르고 난리를 치냐고요……."

나는 거칠게 대꾸하면서 수화기를 던지듯 내려놓는다. 손재수에다 주유소 침수와 막돼먹은 여자의 전화까지 받고 나니 속이 왕창 뒤집히고도 부족할 판이다.

남편은 유흥업소에 다니는 어떤 여자를 알고 있었다. 거래처 손님을 접대하면서 알게 되었다고 했다. 그 여자는 새벽에도 전화를 했다. 구복(口腹)이 원수라지만 언제까지 참아야 할까.

얼마 전에 그 여자의 전화를 처음 받았을 때였다. 내가 상대의 신분을 물었다. 그러자 낮고 허스키한 목소리로 "친구 바꿔!"라고 말했다. 게다가 남편과 사귀는 사이라고 당당하게 털어놓았다. 만만한 년은 제 서방 굿도 못 본다지만 바람 맞은 병신같이 당하고 있을 수만은 없었다.

남편에게 그 여자 문제를 따졌다. 남편은 사건의 진상을 감추면서 구렁이 담 넘어가듯 얼렁뚱땅 해치우려고 했다. 손톱을 날카롭게 세우고 덤벼들 수밖에 없었다. 남편은 술을 빙자하며 중언부언하다가 슬그머니 쓰러져 코를 골고 말았다.

남편은 그 여자와 어느 선까지 갔을까. 그의 고백처럼 그저 술잔이나 주고받았다는 게 사실일까. 아니면 넘지 말아야 할 선을 완전히 넘어섰던 것일까. 도대체 그 여자에게 무슨 약점을 잡혔기에 전화가 집요하게 걸려 왔던 것일까. 나는 그 여자가 낙지 다리에 수없이 매달려 있는 빨판처럼 느껴져서 무서웠다. 그 여자의 집착은 편집증 환자처럼 끈질겼다. 하지만 무척이나 가정적이었던 남편이 바람을 피우기 시작했다는 것이 외려 무서웠다.

그 다음 날 새벽이었다. 전화벨이 고요한 집안을 무법자처럼 난도질했다. 남편이 허둥지둥 일어나서 수화기를 들었다. 갑자기 그의 얼굴에서 당황하는 기색이 피어나기 시작했다. 나는 직감적으로 전화를 건 주인공이 누구인지 알아차렸다.

"어떤 썩을 년이 이 새벽에 전화질을 했어?"

나는 방금 들려왔던 전화 벨소리에 전혀 기죽지 않을 만큼 앙칼진 목소리로 남편에게 쏘아 댔다. 내가 태어난 이후로 이런 거친 소리를 냈던 적이 없었을 것이다. 그렇게 소리치지 않으면 그 여자에게 안방을 내주어야 할지도 모른다는 불안감이 싹텄기 때문이다.

남편은 우그러진 얼굴로 나를 바라보더니 똥줄이 빠지게 도망쳐 버렸다. 나는 한 옥타브 더 높은 앙칼진 목소리로 남편을 포획하려다가 멍하니 그의 뒤통수만 바라보았다. 세상모르게 잠을 자던 딸아이가 행복한 꿈을 꾸는지 웃음을 머금고 있었다. 딸아이의 웃는 모습이 눈에 밟혀서 입을 그만 다물어 버렸는지도 모를 일이었다.

그때도 온몸이 가려워지기 시작했다. 도대체 어디부터 긁어서 그 지독한 게릴라를 진압해야 할지 모를 지경이었다. 손 갈퀴를 만들어서 머리칼 속부터 다스렸다. 이번에는 게릴라가 등짝으로 몰려왔다. 손이 닿지 않아서 안타까웠다. 시멘트 벽모서리에 등을 기대고 연탄 불 위에 올려놓은 오징어처럼 몸을 연신 비틀어 댔다. 누가 그 광경을 보았으면 어떻게 생각했을까. 하지만 참을 수 없는 가려움 때문에 그런 것을 따질 상황이 아니었다. 등짝을 어느 정도 진압하고 나자 다음에는 오른쪽 손등에서 게릴라가 출

몰했다. 신경질적으로 북북 긁었더니 마침내 내 몸 여기저기에 배롱나무의 자줏빛 꽃잎들이 문신처럼 새겨지고 말았다.

가려움증을 호소하려고 피부과에 갔던 적이 있었다. 검진을 마친 의사는 아토피 증상도 아니며 모든 것이 스트레스 때문이라고 했다. 도대체 뭐가 뭔지 알 수 없는 소리였다. 의사들은 정확한 원인을 밝혀내기 힘들면 무조건 스트레스로 치부해 버리는 경향이 있는 것 같았다. 나는 집으로 돌아와서 의학사전을 펼쳐 보았다. 뭐라더라? 스트레스는 아드레날린이나 다른 호르몬이 혈중 내로 분비되어 우리 몸을 보호하려고 하는 반응으로, 위험에 대처해 싸우거나 그 상황을 피할 수 있는 힘과 에너지를 제공한다고? 의사의 두루뭉술한 진단처럼 헷갈리는 말이었다.

한참 후에 언제 그랬냐는 듯 가려움증이 가셨다. 게릴라를 무사히 진압했다는 안도감이 편안한 마음을 열어 주었다. 질펀하게 주저앉아 딸아이의 잠자는 얼굴을 한동안 물끄러미 바라보았다. 눈에 넣어도 아프지 않은 나의 분신이었다. 발아래 놓여 있는 젖은 기저귀가 눈에 띄자 재빨리 세탁해서 베란다의 건조대에 널었다. 마른 기저귀를 걷어서 가슴에 끌어안은 채 여명을 바라보았다. 동이 트는 순간은 신비의 극치였다. 여명은 미망(迷妄)을 깨트리는 순간이기도 했다. 가슴에 끌어안았던 기저귀에서 딸아이의 온기가 느껴졌다. 세탁한 뒤에도 온기를 느낄 수 있었다니 알다가도 모를 일이었다.

나는 딸아이를 돌아다보았다. 아직도 계속 꿈을 꾸는지 입가에 웃음이 매달려 있었다. 덩달아서 나도 모르게 미소를 머금었다. 딸아이가 사랑스러워 볼에 입맞춤하려다 그대로 두었다. 남편이 주유소에 도착할 시간쯤 되어서 수화기를 들었다.

"우유라도 마셨어요?"

"아니, 전혀 생각 없어."

"그래도 건강을 생각해야지요."

"간밤에 주유소에 도둑이 들었어."

"뭐요, 도둑!"

그는 풀이 죽은 목소리로 도둑맞은 얘기를 전했다. 수화기를 힘없이 내려놓았다. 잠자는 딸아이를 흘낏 돌아보았다. 그리고 잊고 있었던 일이 갑자기 생각났다는 듯 남편의 도시락을 허둥지둥 쌌다. 그 바람에 싱크대 위에 놓여 있던 접시가 바닥으로 떨어지면서 요란한 소리를 냈다. 깨진 접시 조각들이 오세영 시인의 "깨진 그릇은 칼날이 된다. 절제와 균형의 중심에서 빗나간 힘, 부서진 원은 모를 세우고 이성의 차가운 눈을 뜨게 한다. 맹목의 사랑을 노리는 사금파리여, 지금 나는 맨발이다. 베어지기를 기다리는 살이다……."라는 연작시를 떠올리게 만들었다.

깊은 잠을 자지 못하는 딸아이가 놀라서 울음보를 터트리기 시작했다. 마치 새벽에 벌어졌던 사태를 알아채기라도 했다는 듯 목청껏 울었다. 덩달아서 질펀하게 주저앉아 통곡이라도 하고 싶었다. 그래야지 가슴속에 쌓인 괴로움을 조금이나마 배출시킬 수 있을 것 같았다. 하지만 울 수 있는 형편이나 상황이 아니었다. 나는 입술을 꼭 깨물며 아이에게 젖꼭지를 물렸다.

젖무덤 위로 얼기설기 드러난 핏줄들이 젖꼭지를 향해 뻗어 있었다. 수유(授乳)란 자동차에 기름을 넣어 주는 것과 달리 어머니의 피를 아이에게 수혈해 주는 일인지도 모른다. 딸아이가 조막손으로 젖무덤을 매만지며 입으로 힘차게 빨았다. 그 바람에 거센 울음소리가 그치고 고요가 찾아들었다. 딸아이는 젖을 먹는다기보다 나의 체온과 사랑을 느꼈기 때문에 안정을 되찾았을 것이다.

딸아이를 보듬고 주유소로 달려갔다. 신고를 받은 경찰이 찾아와서 사건현장을 둘러보느라 분주했다. 나도 외부 침입자가 있는지 정황을 살펴보았다. 모든 문은 완벽하게 닫혀 있는 듯했다. 화장실 쪽에 조그마한 창문이 달려 있는데, 먼지가 쓸려 있다는 게 이상했다. 아마 도둑은 그 문을 통해 들어왔던 모양이었다.

“어서 오십시오!”

직원의 목소리가 주유소 영업이 재개되었음을 알린다. 어느 틈인지 차단된 전원과 오일박스가 복구된 모양이다. 연이어 직원들의 인사하는 소리가 들려온다. 주유를 하기 위해 다섯 대의 차량이 연속으로 몰려들어 온다. 이처럼 북적대는 경우가 극히 드문 상황이다. 딸아이를 내려놓고 밖으로 나갈까 말까 망설인다.

아르바이트생 두 명과 직원 한 명이 다섯 대의 주유기를 감당하기에 약간 버겁다. 남편의 행방을 찾는다. 장맛비와 함께 수챗구멍 속으로 흘러가 버린 것일까. 종적이 묘연하다. 경적이 거세게 울린다. 성질 급한 운전자가 '왜 빨리 기름을 넣어 주지 않아!' 라고 외치는 소리나 다를 바 없다. 그 경적이 주유기들을 덮고 있는 캐노피 천장에 부딪치며 공명현상을 일으킨다. 주유소 뒤편의 방화벽도 때린다. 나를 닦달하듯 사무실 창문까지 친다. 자칫하면 지하탱크 맨홀을 통째로 폭파시켜 버리기라도 할 기세다.

우리 주유소에서는 '목구멍이 포도청' 이 아니라 '목구멍이 주유구' 라고 한다. 주유구에서 기름이 많이 흘러나와야 목구멍의 음식물도 잘 흐를 수 있기 때문이다. 딸아이를 책상 위 포대기에 눕힌다. 잰걸음으로 내닫는다. 직원이 두 대를, 아르바이트생이 한 대씩을 맡아 주유 작업 중이다. 맨 늦게 진입했던 차량을 향해 달려간다.

"어, 여 사장님! 서방님은 어디 가고 대신 나왔나?"

누군가가 차창 문을 열고 고개를 내민다. 가까운 곳에서 무역회사를 경영한다는 윤 사장이다. 사우나를 다녀온 듯하다. 그의 얼굴이 조금 전 검은 구름을 헤치고 나온 햇살에 반사되어 반질거린다.

"어머, 오셨어요. 더 젊어지셨네요."

나는 반가운 표정의 가면을 쓰고 주유기를 잡는다.

"이 주유소는 저 배롱나무 때문에 운치가 있단 말이야. 기껏 해야 기름이나 넣어 주는 주유소가 끝없이 피어나는 저 꽃들 때문에 카페처럼 보이거든. 오, 아름다운 꽃들이여!"

"어머, 풍류가 있으시군요. 마치 시인 같아요."

"그럼 나도 한때는 멋진 시인이 되려고 깨나 노력했지. 여 사장, 오늘은 만땅이야, 만땅!"

윤 사장은 겉으로 보기에 늘 '만땅 인생'이었지만, 안을 들여다보면 느끼하기 그지없는 인간이었다. 우리 주유소의 큰 고객이긴 해도 별로 달가운 것은 아니다. 그는 자신의 능력을 훨씬 웃돌 법한 고급 외제 차량에 짙은 썬팅을 하고 다녔다. 또 여성적인 취미까지 갖고 있었다. 어느 날인가 주유원이 부족해서 내가 직접 주유기를 잡았을 때였다. 그가 로션을 덜어서 가볍게 터치하듯 두드리는 장면이 목격되었다. 그의 손에 들린 것은 여성용 알로에 화장품이 분명했다. 그는 자신의 부드러운 피부를 과시하겠다는 듯 창문을 완전히 내리기까지 했다. 그런데 기름기가 덕지덕지 끼어 있을 뿐 부드러운 구석이라곤 하나도 발견할 수 없었다. 오히려 피부가 두껍다는 느낌을 받았다.

그는 항상 주유가 끝나면 카드결제를 했다. 그런 다음에 외상장부에도 기록을 남겼다. 기름을 한 번 넣고 두 번 넣은 것처럼 계산함으로써 소득공제 혜택을 많이 받으려는 술수였다. 포인트카드 적립은 기름값의 두 배를 요구했다. 호주머니 사정이 시원치 않다면 고급 외제 승용차를 타지 말든지, 아니면 쩨쩨한 수작을 부리지 말았어야 했다.

그의 피부가 부드럽지 않고 두꺼운 이유는 또 있었다. 우리 주유소에는 그와 관련된 여자가 두 명이나 드나들었다. 한 명은 그의 아내였는데, 낡은 소형 승용차를 끌고 나타났다. 그때마다 최고로 많았던 주유 액이 이만 원 어치였다. 또 한 명은 제법 고급스러운 승용차의 소유자였는데, 윤 사장의 꽁무니를 졸졸 따라다녔다. 그 여자는 자신의 승용차에 기름을 가득 채운 다음에 우리 주유소 한쪽에 주차해 놓고, 윤 사장의 외제 승용차에 올라타서 어디론가 사라졌다가 느지막이 나타나곤 했다. 물론 그 여자의 기름값은 윤 사장이 자신의 방식으로 결제했다. 내가 두 여자의 신분에 대해 모른 체하며 윤 사장에게 물었던 적이 있었다.

"어느 분이 사모님이세요?"

"팔도에 마누라가 하나씩 있어서 누가 누군지 구별이 안 된다니까, 글쎄."

"농담도 진하시네요."

"톡 까놓고 말해서 요즘 세상은 일부다처제나 다를 바 없거든. 그렇지 않아? 허허, 나는 솔직히 말해서 돈하고 정력밖에 없어. 그런데 요즘 말이야, 나이 탓인지 힘이 약간 부치거든. 그래서 활화산처럼 만들어 주는 이런 비아그라를 갖고 다녀. 이게 바로 나의 구세주라고."

윤 사장이 낄낄거렸다. 그의 두꺼운 얼굴 속에 탐욕이 이글거렸다. 그는 자신의 유전자만이 최고로 훌륭하다는 착각에 빠졌을지도 모른다. 전국 곳곳에 자신의 유전자를 밤낮 가리지 않고 싸질러 대는 어마어마한 공사를 하느라 여념이 없었을 것이다.

한 대의 승용차가 주유소 안으로 미끄러지듯 진입한다. 그 승용차가 마치 꿀이라도 빨아먹으려는 듯 윤 사장의 외제 승용차 꽁무니에 달라붙는다. 그의 젊은 애인이다. 그 여자는 언제나 그랬던 것처럼 주유를 끝내고, 우리 주유소 안쪽에 자신의 승용차를 주차할 것이다. 그리고 공식처럼 윤 사장의 승용차에 올라탄 뒤에 어디론가 사라질 것이다.

나는 그 여자의 승용차에 기름을 넣어 주면서 주유소와 경정비 사무실 사이의 화단에 서 있는 배롱나무를 무심코 바라본다. 어린 시절, 고향에서는 배롱나무를 '간질밥나무'라고도 불렀다. 나무 밑동을 살살 긁기만 해도 간지럼을 타듯 모든 가지가 흔들렸기 때문이다.

배롱나무는 부처 꽃과에 속하는 갈잎 떨기나무였으며, 원 줄기는 홍자색이었지만 벗겨지면서 흰빛을 띠었다. 꽃은 백일 동안 계속 매달려 있었다. 사실은 새로운 꽃망울을 끝없이 피우고 또 졌기 때문에 계속 매달려 있는 것처럼 보일 뿐이었다. 아무튼 사람들은 부귀영화가 그 꽃처럼 영원하기를 기원하며 무덤가나 글방 옆에 배롱나무를 심었다. 하지만 가정집 마당에는 심는 경우가 거의 없었다. 배롱나무 꽃이 여러 번 피어나듯이, 그 집 사내가 여러 여자를 거느리게 된다는 속설이 전해 왔기 때문이다.

남편은 주유소를 열면서 황금을 주무르는 기적의 손, 미다스를 생각하며 배롱나무를 심는다고 했다. 그날 그의 삽질하는 동작이 희망으로 넘쳤다. 작은 체구에서 어떻게 그런 힘이 나오는지 모를 정도였다.

"돈 많이 벌어서 호강시켜 줄게."

"정말요?"

"그럼, 장차 우리 소유의 주유소를 대여섯 개쯤 운영하는 게 내 꿈이거든. 그런 부귀영화가 끝없이 이어지라는 의미에서 이 배롱나무도 심었어."

남편이 배롱나무 가지를 쓰다듬어 주었다. 나뭇가지들이 간지럽다는 듯 몸을 비틀었다. 배롱나무를 심고 두 해가 지났다. 그 나무가 무럭무럭 자라 틀거지를 제법 갖추게 되었다. 그런데 남편의 호언장담과는 달리 주유소 형편은 좀처럼 나아지지 않았다.

가려움증이 시작되려는 징후를 또 느끼기 시작한다. 나는 주유를 서둘러 끝내고, 항상 그랬던 것처럼 윤 사장 방식의 결제로 기름값을 정리해 준다. 시동을 건 윤 사장의 승용차 배출구에서 매연보다 더한 끈적거리는 욕정과 탐욕의 찌꺼기들이 흘러나온다. 바닥이 온통 미끈거린다. 나는 인사도 제대로 못한 채 화장실을 향해 동동걸음을 한다. 바닥의 미끈거림 때문인지 걸음걸이가 부자연스럽다. 남이 이 광경을 목격했으면 뒤가 몹시 마려운 사람인 줄 알았을 것이다.

화장실 안에서 불두덩을 은밀하게 긁는다. 이번 가려움증은 특이하다. 평소에는 가려움증이 전신으로 퍼졌는데 오늘은 국부에 한정된 채 끝없이 계속된다. 한참이나 긁다 보니 아픔이 밀려오다가 이상야릇한 쾌감이 피어오른다. '어, 이게 아닌데…….' 나는 엉뚱한 상황에 처하자 당황하기 시작한다. 얼마나 당황했으면 음부(陰部)가 아닌 신약성서에서 하데스(Hades)로 언급되었던 음부(陰府)를 떠올리며 엉뚱하게도 주문처럼 중얼대기 시작한다.

"내 분노의 불이 일어나서 음부 깊은 곳까지 사르며 땅의 소산을 삼키며 산들의 터도 붙게 하는 도다."

가려움증과 이상야릇한 쾌감이 진압될 즈음, 바깥마당에서 소란스러운 소리가 들려온다. 주유원과 손님이 실랑이를 벌이는 소리다. 그와 동시에 딸아이의 울음소리도 들려온다. 어느 쪽부터 달려가야 하나. 팬티를 허둥지둥 끌어올린다. 사무실 안으로 달려가 딸아이를 끌어안는다. 실랑이가 벌어지고 있는 현장으로 재빨리 다가간다.

"인마, 가득 넣으란다고 정말 가득 넣어."

"손님, 정말 죄송합니다."

"미련한 놈, 적당히 알아서 넣을 것이지. 이러니까 기름밥이나 처먹고 있지. 한심한 놈."

나는 무슨 상황이 벌어졌는지 알고 있다. 하지만 모르는 체하며 두 사람 사이에 끼어들어 무마에 나선다.

"저희 직원이 뭘 잘못했나요?"

"사장이요? 아, 제멋대로 기름을 풀로 채워 버렸잖아요. 내가 돈을 다발로 가지고 다니는 줄 아나 봐. 내가 한국은행이냐, 이거야."

"앞으로 시정하겠습니다. 백 번이라도 사죄하면서, 실수했던 죄 값으로 사은품이라도 듬뿍 드릴게요."

나는 아르바이트 남학생에게 지시하여 화장지에다가 생수와 열쇠고리까지 드리도록 한다. 그때서야 손님이 표정을 약간 누그러뜨리며 카드를 내민다. 결제가 끝나자, 그는 "에이 진입로가 불편해서 오가기가 힘들어."라고 중얼거리면서 주유소를 빠져나간다. 아르바이트 남학생이 꾸지람을 달게 받겠다는 듯 고개를 수그린 채 서 있다. 나는 그의 잘못이었다기보다 까탈을 잡아 위엄을 내세우려는 손님의 수작으로 판단하고 모르쇠로 일관한다.

손님들은 주유소에 진입하는 순간 의심의 눈초리를 보내는 경우가 허다했다. 아무리 편안하고 정직하게 모시려고 해도 손님과 주유소 사이에는 한 겹의 벽이 존재했다. 친절한 서비스나 웃음은 의심의 벽들에 가려져 철저히 외면당해야 했다. 여러 대의 승용차를 주유하느라 시간이 지체되는 경우에는 "뭐 이래! 여기에는 사람 없어!"라고 소리쳤다. 주유소 직원들을 사람으로 취급하지 않는 듯한 말투였다. 또 기름이 정품이냐고 따지는 경우도 있었다. 그것보다 더한 손님은 기름에 물이나 공기를 섞어서 연료탱크 속에 넣었다며 생떼를 쓰는 경우도 있었다.

주유소로 진입하는 차량이 뜸하다. 이미 오래전에 비가 개이고 햇살까지 나와서 주유소 주변이 유난히도 말끔하다. 그런 분위기 속으로 팝송이 흐른다. 컴퓨터를 통해 틀어 놓은 음악이었는데 여태 그런 음악소리가 흘렀다는 것조차 느끼지 못하고 있었다. 벤 이 킹(Ben E. King)의 「스탠바이 미(Stand by me)」라는 팝송이다.

"밤이 오고 이 땅이 암흑으로 물들었을 때, 달이 우리가 볼 수 있는 유일한 불빛일 때, 아니, 난 두렵지 않습니다. 단지 당신이 내 곁에 서 있기만 한다면……."

도대체 남편은 어디로 사라졌을까? 남편은 항상 범람하는 물이고, 나는 그 위를 겉도는 기름이다. 그는 내가 주유소 일을 본격적으로 거들기 시작했을 때부터 마포바지에 방귀 새어 나가듯 어디론가 자취를 감추곤 했다. 남편은 저녁 무렵이 되면 유령처럼 슬그머니 나타나서 흡사 미다스의 기적을 기원하기라도 하듯 배롱나무 주변을 빙글빙글 돌곤 했다. 왜 늦었느냐고 물으면 대답을 회피하다가 마지못해 본사나 거래처를 다녀왔다고 말했다.

물론 거래처 확보도 중요했다. 예전에 오천 드럼쯤 판매했는데, 손재수를 당하고 난 뒤에 천 드럼 이상 매출을 신장시켜야만 했기 때문이다. 또 본사의 호출이나 교육이 빈번했다. 어떤 때는 내가 교육을 대신 받아보았기 때문에 그런 상황을 잘 알고 있다.

교육은 일주일에 한 번 꼴로 이루어졌다. 그럴 때마다 각 직영 주유소의 판매실적을 비교했다. 목표 미달인 곳은 주유소 상호까지 거론되었다. 그것으로 끝나는 것이 아니었다. 타깃으로 걸려든 주유소는 감시의 눈초리로 뒤덮였다. 감사과 직원이 불시에 쳐들어와서 기분을 왕창 구겨놓곤 했다.

주유소의 도난사건이 발생하자 본사 회장이 직접 방문했다. 그리고 남편에게 지방으로 발령을 내겠다고 엄포를 놓았다. 회사 관리를 못했기 때문에 그런 불상사가 났다는 이유였다. 우리는 도둑맞은 금액을 전부 보상하고 매출액을 신장시키겠다는 서약서를 작성했다. 그렇게 함으로써 회장의 진노를 간신히 잠재웠다. 그건 남편 대신에 내가 직접 나서서 손이 발이 되도록 빌었던 결과였다. 그날 이후로 아무런 보수도 없이, 또 딸아이까지 데리고 주유소에 출근하여 잡무를 도와주는 이른바 나의 '화려한 외출' 이 시작되었던 것이다.

나는 주유소에 규칙적으로 출근하면서 금품을 훔쳐간 도둑을 잡기 위해 암중모색하고 있었다. '도대체 누가 그런 짓을 저질렀을까' 라며 혼잣말을 했다. 그 도둑을 기어코 찾아내어 본때를 보여 주겠다며 수없이 다짐하곤 했다. 신고를 받고 출동했던 경찰의 이야기가 내부인의 소행일 가능성이 짙다는 거였다. 하지만 그들은 범인을 잡기 힘들다는 소리만을 남겨 놓은 채 그날 이후로 더 이상 얼굴을 내밀지 않았다.

내부인이라면 여름방학을 맞아 한 달 내내 아르바이트를 하겠다고 찾아온 두 명의 학생과 정식 직원인 이 주임이 전부였다. 아르바이트생 중에서 한 명은 여학생이었다. 그 여학생이 아르바이트 자리를 구하러 찾아왔을 때의 모습은 입술 화장이 약간 진했으며 찢어진 청바지까지 입고 있었다. 불량기까지 약간 있어 보였지만, 젊은 청춘의 특권으로 그런 차림을 했을 거라며 너그럽게 보고 받아들였다. 그런데 요즘은 출근할 때 메이커 급의 스커트에 운동화까지 신고 다녔다. 어디서 그런 많은 돈이 난 것일까.

또 한 명의 남학생은 키가 훤칠했고, 눈매가 서글서글했다. 인상이 좋아서 채용했는데 근래에 행동이 어딘지 모르게 부자연스러워졌다. 게다가 급작스럽게 산만해진 모습을 보였다. 조금 전에 손님과 실랑이가 벌어졌던 것도 그와 무관하지 않을 성싶었다. 그렇다면 그런 변화가 생겼던 이유는 무엇일까.

창문을 통해 주유소 내부를 조심스럽게 살핀다. 주유소 제복을 입은 아르바이트생 두 명이 무슨 이야기를 나누고 있다. 여학생이 쇠똥 굴러가는 것이라도 보았다는 듯 까르르 웃는다. 남학생은 주위를 흘낏 살피며 조심을 떤다.

또 한 명의 내부인은 이 주임이었다. 그는 주유기 버튼을 교묘하게 조작하여 자신의 승용차에 기름을 공짜로 넣다가 적발된 적이 있었다. 해고시키려다가 그의 어머니가 찾아와서 통사정을 하는 바람에 참았다. 세 살 버릇 여든까지 간다더니 이 주임이 또 일을 저지른 것은 아닐까?

"아빠! 아빠! 아빠!"

말을 갓 배우기 시작한 딸아이가 내 옷깃을 잡아당긴다. 그 순간 나는 깜짝 놀란다. 내부인이라면 남편도 해당된다는 것을 지금까지 까마득하게 잊고 있었다. 남편도 혐의점이 없는 것은 아니었다. 유흥업소에 다니는 아가씨와 사귀다보면 많은 돈이 필요할 수밖에 없었을 것이다. 내가 월급을 모조리 가져가고 필요한 용돈만 주었기 때문에 상당히 궁했을 가능성이 많았다. 그럼에도 용돈을 올려 달라고 보챘던 적이 한 번도 없었다. 그렇다면 혹시 남편의 자작극?

불신의 시대를 증폭시키는 의심의 불길이 들불처럼 타오르기 시작한다. 어린 시절, 나는 들불이 들녘에서 크게 번지는 광경을 목격한 적이 있었다. 그러니까 어느 날 저녁이었다. 논두렁 한쪽에 놓았던 쥐불이 점점 번지기 시작했다. 그 불길은 물 위를 헤엄쳐 가는 뱀처럼 꿈틀거리며 들녘을 야금야금 삼켜 버렸다. 그날 번져 갔던 불길은 거대한 '불뱀'을 연상케 했다. 마을은 물론이고 어둠으로 물든 저녁 하늘까지 모조리 삼킬 기세였다.

남편에 대한 의심의 불길은 점점 커져만 간다. 내가 며칠 전에 직원들의 동태를 잘 살피고 직접 닦달해서 범인을 찾아내든지 아니면 경찰에게 부탁해서 직원들을 취조라도 해야 하지 않겠냐고 말했다. 남편은 법대 출신이 아니랄까 싶었는지 형법 156조인 '무고죄' 라는 단어를 앞세우며 고개를 내저었다. 그는 범인을 찾아내려고 애쓰는 기색이 별로 보이지 않았다.

나는 여태 미치지 못했던 생각이 떠오르자 의자에서 벌떡 일어난다. 내부인의 소행이라면 이전의 아르바이트생들도 혐의 선상에 올랐다. 그동안 수십 명에 달하는 아르바이트생들이 다녀갔다. 그래서 얼굴도 일일이 기억하지 못할 지경이다. 소경 맴돌이 시켜 놓은 것처럼 머리가 어지럽기 시작한다. 헝클어진 실타래처럼 변해 버린 수많은 의심들이 후릿그물처럼 펼쳐져 내 몸을 덮친다.

느닷없이 캐노피 아래에서 공명현상을 일으키는 소리가 요란을 떤다. 딸아이가 질겁하며 울음보를 터트린다. 하지만 딸아이의 애처로운 울음소리는 굉음에 속절없이 묻혀 버리고 만다. 마치 천둥벽력이 치는 듯해서 놀란 가슴을 안고 창밖을 살핀다. 헬멧 대신에 울긋불긋한 두건을 머리에 쓴 청년들이 오토바이를 타고 들이닥쳤다. 십여 대나 되었다. 그중에서 세 대는 주유를 위해 멈췄지만, 나머지는 주유기를 빙글빙글 돌면서 마치 무슨 시위라도 벌이는 듯했다. 〈주유소 습격사건〉이라는 영화가 떠오른다.

나는 달팽이 눈이 된 채 그들의 동태를 예의주시할 뿐이다.

남편은 도대체 어디로 간 것일까. 물론 그가 여기에 있다고 해서 불안감이 해소될 리 없을 것이다. 그의 작은 체구며 우유부단하고 나약한 성격으로 보아 이런 난국을 해결하지 못할 게 뻔했다.

주유를 마친 오토바이들이 주유기를 중심으로 빙글빙글 돌기 시작하고 다른 오토바이들이 바통을 이어받아서 주유를 시작한다. 주유기를 선회하는 오토바이들이 맹수처럼 앞바퀴를 공중으로 치켜든다. 맹수의 이빨보다 오토바이 타이어의 확연한 요철이 더 날카롭고 무섭게 느껴진다.

기름값을 무사히 받는 게 문제가 아니다. 오토바이 집단이 행패를 부리지 않고 속히 사라져 주기만을 바랄 뿐이다. 하지만 주유소를 완전 점령하다시피 한 그들은 험악한 기세를 누그러트리지 않는다. 그들의 행동으로 보아 도로의 난폭자요 무법자인 폭주족이 틀림없을 것이다.

폭주족은 정규적인 삶에서 반항과 일탈을 위해 생겨나지 않았을까 하는 생각을 해 보았던 적이 있었다. 그들에게 좌우통행이란 법칙은 존재하지 않았다. 도로교통법도 아예 무시되었다. 그들에게는 오로지 질주 본능만 있을 뿐이었다. 그들이 그렇게 질주하여 도달하고 싶은 곳이 도대체 어디일까. 그들의 질주 끝에 피안의 세상이 기다리고 있기라도 한단 말인가.

나는 주유소 직원들의 신변이 걱정되었으나 무서워서 밖으로 나가지 못한다. 오토바이가 만들어 낸 원(圓) 속에 갇혀 있는 직원들이 얼마나 힘들까 하는 생각이 든다. 그들의 표정을 살피려고 창을 조심스럽게 열고 고개를 살짝 내민다. 오토바이를 탄 사내 한 명이 나에게 손을 흔든다. 나는 자라목처럼 고개를 웅크리며 눈을 질끈 감는다.

"사모님, 카드 결제인데요."

들려오는 목소리에 질끈 감았던 눈을 뜬다. 아르바이트 여학생이 카드를 손에 들고 사무실로 들어와서 체크기에 긋는다.

"아무 일도 없었니?"

"무슨 일요?"

"혹시 무슨 행패라도."

"예이, 사모님도요."

"정말 괜찮단 말이지?"

"그럼요. 사모님, 저 라이더들이 답답한 세상을 뚫고 신나게 달리는 모습이 얼마나 멋진지 아세요. 저도 저 아가씨처럼 오토바이 뒷자리에 타고 싶은 걸요."

아르바이트 여학생이 오토바이 한 대를 가리킨다. 처음에는 겁에 질려 자세히 보지 못했는데 선글라스를 낀 사내 뒤편에 머리가 치렁치렁한 아가씨가 매미처럼 매달려 있다. 아르바이트 여학생은 마치 자신이 오토바이를 타고 질주에 동참하는 것처럼 즐거운 표정을 짓는다.

"아니야, 저들은 라이더가 아니라 폭주족이라니까. 나는 무서워."

"사모님은 별 걱정도 다하시네요. 사모님, 어떤 유머에서 말예요, 일본 폭주족은 회칼을 싣고 다니지만, 한국 폭주족들은 가스통을 싣고 다닌대요. 그래서 한국 폭주족이 전 세계에서 가장 강하다네요."

아르바이트 여학생이 깔깔거리며 밖으로 나간다.

다행히도 오토바이 굉음들이 하나둘 멀어져간다. 혹시 무슨 불상사라도 일어났는지 주유소 내부를 황급히 살핀다. 아무것도 달라진 것이 없다. 잘 믿어지지 않는다. 딸아이를 책상 위 포대기에 눕혀 놓고 사무실 밖으로 나간다. 이 주임을 찾는다.

"이 주임, 아무런 불상사가 없었어요?"

그가 대답 대신에 빙그레 웃기만 한다. 그때서야 짓눌렸던 마음이 가까스로 풀린다. 사무실로 다시 돌아가려다가 주유소 옆에 있는 경정비 사무실에서 기세등등하게 들려오는 목소리를 듣고 발이 말뚝처럼 땅에 박힌다.

"못 먹어도 고야!"

장맛비와 함께 수챗구멍으로 흘러가 버린 줄 알았던 남편의 목소리가 그곳에서 들려왔던 것이다. 어처구니없는 일이다. 여태 남편은 경정비 사무실 사장과 어울려 고스톱 놀음에 빠져 있었던

게 틀림없다. 화가 불끈 치밀어서 경정비 사무실로 발걸음을 옮기다가 우뚝 멈춘다.

가려움증이 피어오르기 시작한다. 이상한 일이다. 예전에는 그런 가려움증이 며칠 걸러서 한 번씩 찾아왔는데 오늘은 벌써 두 번째다. 가려움증의 진원지도 예전과 달리 불두덩이다. 그러니까 이번에 들이닥친 가려움증은 예전과 양상이 사뭇 다른 셈이다. 갑자기 머릿속으로 번개 빛살이 스쳐 지나간다.

"엥, 이 남자가 혹시?"

분노와 배신감이 치밀어서 혼잣말로 중얼거린다. 하지만 남편에게 달려가서 화풀이를 할 상황이 아니다. 서둘러 화장실로 달려가서 게릴라부터 진압하는 게 급선무다. 발걸음을 화장실 쪽으로 향하려다가 배롱나무를 쏘아본다. 남편이 미다스의 기적을 꿈꾸며 심어 놓았던 나무다. 남편은 하나만 알고 둘은 모르고 있는 듯하다. 미다스 왕의 무덤에서 황금이 하나도 발견되지 않았다는 것을. 미다스 왕은 황금 욕심 탓에 자신의 주변에 있던 소중한 것들을 모두 잃었다는 또 하나의 사실을…….

배롱나무가 심하게 떨리고 있다. 어느 틈에 배롱나무 위에 날아와 앉았던지 까마귀 한 마리가 푸드득거리며 석양 속으로 치솟는다. 나뭇가지가 더욱 심하게 떤다. 장단에 맞추듯 불두덩의 가려움증도 심해진다. 다시 머릿속으로 번개 빛살이 스쳐 지나간다.

나도 모르게 몸이 부르르 떨린다. 미다스의 기적을 기원한 배롱나무가 불안의 그물처럼 덮쳐 오는 듯하다. 나는 두 주먹을 으스러지듯 움켜쥐고 이를 앙다문 채 서릿발 같은 눈초리를 쏘아 보낸다.

혼잣말이 무척 날카로웠던지 아르바이트생들이 놀란 눈으로 나를 바라본다. 그럴 즈음에 주유소로 진입하는 승용차 한 대가 눈에 띈다. 어디선가 밀회를 질기고 돌아오는 윤 사장의 승용차이다. 그 승용차 안에서 남녀가 깔깔거리고 있다. 사무실 안에서 딸아이의 자지러지는 울음소리가 들려온다. 불두덩의 가려움증이 활화산처럼 지축을 울리면서 화산재와 용암까지 분출하기 시작한다.

죽음 사이를 수놓는 일상성의 서사

전동진_ 문학평론가, 시인

1. 이야기와 노래

지구에 현재 살고 있는 사람의 숫자는 대략 60억 명이라고 말한다. 우리의 몸에 살고 있는 생물, 미생물들은 이보다 더 많다. 이 수많은 생명 가운데 '나' 라고 하는 자(者)는 유일하게 자의식을 가지고 있는 존재다. 나는 '내 몸' 의 주인이 아니다. 나는 수많은 생명체를 돌보는 책임을 지닌 목자(牧者)와 다르지 않다. 그러니 내가 내 몸을 보살피지 못하는 것은, 더구나 해치는 것은 나에 국한된 문제가 아니다. 누구도 자신을 해칠 권리란 있을 수 없다.

인간은 오랫동안 지구의 주인을 자임했다. 타고난 신체적 능력, 조건은 대부분 동물보다 못하다. 그럼에도 불구하고 만물의 영장을 자처할 수 있었던 것은 높은 지능 덕분이었다. 인간은 지구에서 머리가 가장 좋은 동물이었다. 그런데 인공지능의 등장으로 지구에서 가장 머리가 좋은 존재의 지위를 유지할 수 없게 되었다. 그렇다면 이제 지구의 주인은 '인공지능'을 탑재한 로봇이나 다른 기계가 되어야 한다는 말인가?

인류의 미래를 내다보는 미래학자들의 전망은 대체로 부정적이다. 뇌과학 등의 발달로 인간 내면은 그로테스크하게 드러나고, 환경 파괴 등으로 세상은 디스토피아로 묘사된다. 드물게 인간의 미래를 낙관적으로 그리고 있는 사람도 있는데 미래학자 롤프 옌센이 대표적이다. 그는 21세기를 신화와 이야기의 시대로 규정한다. 가장 경쟁력 있는 민족을 이야기 자원이 풍부한 민족이라고 말한다. 여전히 인간이 지구상에 존재해야 하는 이유, 그것은 인간이 이야기와 노래를 생산할 수 있기 때문은 아닐까.

2. 같은 죽음, 다른 극단

이 소설집은 두 개의 죽음에 감싸여 있다. 여기에 실린 죽음의 정체는 삶과의 경계가 불분명하다. 일반적으로 우리는 좀 더 확실한 죽음을 위해서 삶에 지나치게 집착한다. 삶을 붙들고 산다. 죽음을 붙들고 사는 이들도 드물게 있다. 그래서 그들의 이야기는 삶의 이야기보다 더 귀하다. 미련이라고 하는 것은 토해내지 못한 욕망의 찌꺼기다. 아마도 가장 불행한 죽음은 미래, 미래를 외치며 살다 끝내 내일을 보지 못하고 죽는 리얼리스트의 것일 게다. 미련없이 죽음을 통과하기 위해서는 삶을 통해 못다 한 것이 없어야 한다. 철학자 비트겐슈타인을 여전히 빛나게 하는 것은 죽기 이틀 전, 혼수상태에 들기 몇 시간 전까지 쓰고 있었다는 것이다.

> "나는 꿈꾸고 있다"고 꿈을 꾸면서 말하는 사람은, 비록 그가 그때 사람들이 들을 수 있도록 말을 한다 해도 옳지가 않다. 이는 실제로 비가 오는 동안 그가 꿈속에서 "비가 온다"고 말하더라도 그는 옳지 않은 것과 마찬가지이다. 비록 그의 꿈이 억수 같은 빗소리와 실제로 연관되어 있을지라도.
>
> – 비트겐슈타인, 『확실성에 대하여』, 책세상, 2011, 160쪽.

4월 27일에 여기까지 쓰고, 다음 날 의식을 잃고, 4월 29일 태어난 비트겐슈타인은 죽었다. 그의 마지막 구절을, 그의 철학을 이해할 수는 없지만, 그의 빛나는 일상, 끝까지 쓴 삶의 스타일에는 경의를 표하지 않을 수 없다.

이 소설에서 만나는 하나의 죽음은 「고슴도치의 방」이라는 공간에 담겨 있다. 그리고 다른 하나의 죽음은 「회저의 시간」을 흐른다. 80년 5월 광주에 열린 '열흘의 공동체'는 인류가 경험하지 못한, 경험하지 못할 가능성이 큰 '미래 공동체'라고 말한다. 100만에 육박하는 시민이 살고 있는 대도시 80년 광주. 공권력이 부재한 상황에서, 시민들이 자체적으로 질서를 유지하고 평화적으로 삶을 일궈낸 미증유의 공동체가 열흘 동안 열렸다 닫혔다. 미래 문화유산이 있다면 이만한 것도 없을 것이다.

이 공동체를 일궈낸 것은 삶이 아니라 죽음이다. 그래서 이 죽음은 가장 슬픈 것이고 가장 빛나는 것이다. 가장 슬픈 죽음은 억울한 죽음이다. 그 죽음의 이유나 가치를 인식하지 못한 채 덮쳐온 죽음이 있다. 소설 「고슴도치의 방」의 아버지의 죽음이 그렇다.

> 나는 아버지의 죽음에 대해서 견해가 달랐다. 그들에게 자살이 아닌 타살이라고 항변하고 싶었으나 입을 열지 않았다. 내가 타살이라는 논리적 근거를 제시해도. 그들이 쉽사리 이해하지 못할 거라는 염려와 안타까움이 있어서 어금니를 깨물었다.
>
> -「고슴도치의 방」 중에서

아버지는 휴교령이 내렸던 80년 5월 18일 무렵 광주에 다니러 갔다 소식이 끊긴다. 사태가 진정된 후 병원에서 연락을 받고 아버지를 찾는다. 아버지는 영문도 모른 채 공용터미널에서 계엄군의 몽둥이에 맞아 입원한 것이다. 그 사건 이후 가족의 일상은 산산이 파괴된다. 아버지는 자신에게 가해진 폭력을 어머니에게 돌려 푼다. 폭력의 악순환 속에 빠진다.

"나는 폭도가 아니란 말여. 나는 아무런 잘못이 없단게. 제발! 제발!"

아버지는 입에 게거품을 내뿜으며 땅바닥에 납작 엎드렸다. 그런 모습을 지켜보던 엄마는 망설일 틈도 없이 달려가서 아버지를 일으키면서 가슴을 쥐어뜯고 있었다.

–「고슴도치의 방」 중에서

아버지가 고슴도치와 함께 머물렀던 곳은 골방이다. 그러나 아버지의 시간은 공용터미널에서 당한 계엄군의 몽둥이세례에서 빠져나오지 못하고 있다. 아버지의 정신분열은 시간과 공간의 불일치로부터 기인하고 있다.「회저의 시간」에서는 같으면서 다른 아버지의 죽음을 만날 수 있다.

내 아버지는 정신병동 옆 야산에서 숨진 채 발견되었다. 아버지는 상무대 영창에서 수감되었을 때 머리를 시멘트벽에 찧으며 단숨에 목숨이 끊어지기를 원했다. 그런 죽음을 통해 그날의 신념을 널리 알리고 싶었을 터였다. 그런데 뜻을 이루지 못하고 무려 20년 가까이 정신질환을 앓으면서 느릿느릿 죽어갔다. 당신은 도청 회의실에서 체포되는 순간부터 기나긴 '회저의 시간' 이 찾아오리라는 것을 예견하고 있었는지도 모르겠다.

–「회저의 시간」 중에서

'회저의 시간' 은 흐르지 않는 것처럼 흐르는 시간이다. 그 미미한 흐름 속에서 세상은 변화한다. 아버지가 벽에 머리를 찧는 소리처럼 또박또박 걸어서 80년 5월의 진실도 드러났다. 아버지의 정신질환은 흐르는 시간과 갇힌 공간의 불일치에서 기인한 것이다. 그 도저한 시간의 흐름을 느낄 수 있는 예민한 사람만이 오늘이 갇힌 현실이라는 것을 알 수 있다.

이 소설의 처음과 끝을 장식하고 있는 두 개의 죽음은 안타깝고, 억울한 죽음이다. 지극히 비정상적인 죽음이다. 대부분의 죽음은 이 두 죽음의 경계를 넘지 않고 이루어진다. 사연이 없는 죽음이란 있을 수 없다. 죽음에 닿는 무수한 이야기들이 역설적으로 우리들의 삶의 의미는 아닌지 묻게 된다.

3. 삼색 일상

죽음보다 더한 삶 사이에서, 삶 못지않은 죽음 사이에서 우리는 일상은 다채롭게 펼쳐진다. 우리는 이 소설집에서 오늘을 사는 우리들의 일상과 마주하게 된다. 「마흔 줄의 미망」은 시간과 공간의 중간 지점쯤에서 거미줄처럼 방사되는 이야기를 담고 있다. 「매직 풍선」에서는 일상의 속박과 속박으로부터의 자유를 동시에 꿈꾸는 주인공을 만날 수 있다. 「배롱나무가 있는 주유소」는 주유소를 배경으로 오가는 인간 욕망의 민낯을 엿볼 수 있다.

검다 : 「마흔 줄의 미망」

이 소설은 기존 서사와는 다른 전략을 취하고 있다. 물론 일반적인 서사처럼 사건이 없는 것이 아니다. 남편이 소장으로 있는 주유소에서 새벽에 절도사건이 발생한다. 그런데 그 사건을 진정을 다해 해결하려는 사람은 없다. 다들 각자의 자리에서 자신을 지키면서 최소한의 역할만을 다한다. 남편, 주유소 당직 직원, 다른 직원들, 아르바이트 주유원들, 사건 담당 형사가 남겨 놓은 자리를 그녀는 '추리망', '의심망', '짐작망' 등 다양한 망(網)을 다 동원해 이으려 한다. 정통적인 서사라면 끝에 범인이 밝혀지는 것이 일반적이다. 그런데 이 소설은 이렇게 끝을 맺는다.

> 그날 새벽 전화 벨소리가 울릴 때부터 알아봤죠. 나를 혼돈과 미망 속으로 몰아넣었던 그 전화 벨소리를 들었을 때 말이죠. 내가 누군지도 모른 채 마흔이 되었네요. 나를 찾아주세요.
>
> 구렁이알처럼 소중한 그 돈을 어디서 어떻게 찾아야죠? 도

대체 누가 범인인가요? 누가 제발 대답 좀 해 주세요, 네?

–「마흔 줄의 미망」 중에서

이 소설의 미망(迷妄)은 미망(迷網)으로 읽어도 좋겠다. 일반적으로 소설은 사건이 발생하고 해결되는 공간을 장소로 남기는데 탁월한 효과가 있다. 이 소설은 '마흔' 이라는 시간이 갖는 특별한 장소성에 관한 글이다.

노랗다 :「매직 풍선」

최근에 주목을 더하고 있는 위상학은 사물이 품고 있는 공간에 따라 그 유사성을 판가름한다. 가령 머그잔과 와인 잔과 도넛과 풍선이 있을 때, 유사한 것끼리 짝을 짓는 문제가 있다고 하자. 그러면 머그잔–도넛, 와인 잔–풍선이 짝을 이루게 된다. 말랑한 진흙으로 만들어진 것이라고 가정하면 머그잔은 손잡이라는 품고 있는 공간으로 인해, 도넛으로 변신은 가능하지만, 와인 잔으로의 변형은 불가능하다.

여자가 핸드백에서 꺼낸 풍선과 바람을 불어 넣어 주둥이를 묶은 풍선은 위상학적으로 다른 사물이다. 그냥 풍선은 면과 다르지 않다. 반면 바람이 채워지고 주둥이가 묶인 풍선은 입체다. 그런데 매직풍선은 품고 있는 공간을 분절함으로써 매번 전혀 새로운 존재, 사물로 탈바꿈한다. 사람의 닮았다는 것은, 통한다는 것은 위상학적으로는 품고 있는 공간이 비슷하다는 것이다.

운전연수를 받고 있는 여자는 거미줄과 같은 도로를 나는 듯 질주하고 싶은 '나비'다. 운전연수를 하는 강사는 여자의 모습에서 어머니의 모습을 찾아내면서, 알 수 없는 그리움의 촉수를 과거의 시간으로 내리고 있다. 여자는 액셀러레이터를 밟고 싶어하고, 강사는 늘 브레이크를 밟을 준비를 하고 있다. 그 둘이 어떤 미망의 날에 다시 반복할 수 없는 꼭 한 지점에서 서로를 교차해 간다. 절대 만나서는 안 되는 사람도 없는 것처럼, 꼭 만나야 하는 운명의 사람도 없기는 마찬가지다. 우리는 어느 날 아침에는 열 개의 마음을 품고 나비가 되고, 또 어느 날 저녁에는 스무 개의 마음을 품고 거미가 되기도 한다.

붉다 : 「배롱나무가 있는 주유소」

물과 기름은 섞이지 않는다. 둘이 품고 있는 공간이 다르기 때문이다. 남자의 사랑을 흔히 불에 비유한다. 여자의 사랑은 물에 비유된다. 불을 품고 있는 물은 크게 둘이다. 하나는 술이고 하나는 기름이다. 술은 주로 그릇된 남성성을 유도하는 불의 원천이 된다. 기름은 불꽃으로 타올라 자동차를 달리게 한다.

> 젖무덤 위로 얼기설기 드러난 핏줄들이 젖꼭지를 향해 뻗어 있었다. 수유(授乳)란 자동차에 기름을 넣어 주는 것과 달리

어머니의 피를 아이에게 수혈해 주는 일인지도 모른다. 딸아이가 조막손으로 젖무덤을 매만지며 입으로 힘차게 빨았다. 그 바람에 거센 울음소리가 그치고 고요가 찾아들었다. 딸아이는 젖을 먹는다기보다 나의 체온과 사랑을 느꼈기 때문에 안정을 되찾았을 것이다.

– 「배롱나무가 있는 주유소 풍경」 중에서

'배롱나무가 있는 주유소의 풍경' 은 딱히 아름답다고 할 수도 없고, 그렇다고 비극적이라거나 추하거나 하지도 않다. 아무리 남루해도 우리의 일상은 아름다움을 품고 있다. 아무리 화려해도 그 일상에는 허무가 담겨 있는 까닭이다. 여자에게는 두 개의 가려움이 있다. 하나는 마음에서 온 가려움증이다. 그리고 다른 하나는 여자의 남편에게서 옮은 것으로 의심되는 '질병' 에서 오는 가려움증이다. 백 일을 피어 있는 배롱나무는 스스로의 꽃핌에 만족할까? 그런 운명을 한탄할까? 잠시 그 앞에 머물러 생각한다.

현대인의 일상에서 매우 중요한 역할을 하고 있는 것은 '모빌리티' 다. 자본의 모빌리티, 욕망의 모빌리티, 이동의 모빌리티, 정보의 모빌리티…… 이 모빌리티의 근대적 상징은 단연 자동차, 곧 '주유(注油)' 일 것이다. 이 소설들이 모두 '자동차' 와 연관된 공간을 배경으로 이루어진 것은 문화적인 측면에서도 해석의 여지가 크다고 생각한다.

4. 삶의 스타일, 죽음의 윤리

비트겐슈타인보다 더 철저하게 천천히 의식적으로 죽음을 향해 나아갔던 철학자가 블랑쇼다. 그만큼 죽음을 붙들고 쓴 사람도 없을 것이다. 그는 한 저서에서 이렇게 말하고 있다.

> 그러므로 진정한 죽음에의 접근을 가능하게 하기 위해서 사물들로부터가 아니라 나를 사물들의 내밀성으로 향하게 하기 위해서, 그것들을 진정으로 보기 위해서 죽음의 깊이로부터 출발해야 한다. 자기 자신에게 멈추지 않는, "나"라고 말할 수 없는, 그 누구도 아닌 자의 비인칭의 죽음의 시선으로,
>
> – 모리스 블랑쇼, 『문학의 공간』, 2010, 224쪽.

글을 쓸 수 있는 한 써야 한다. 사랑을 할 수 있는 한 끝까지 사랑해야 한다. 그래서 이야기를 남겨야 한다. 그것이 삶의 스타일, 죽음의 윤리인 '오늘에 충실하기'가 곧 '카르페디엠'이다.

> 레우코노에여 묻지 마시오, 신들이 당신과 나를 위해 무엇을 준비해 두었는지 우리는 알 수 없다오
>
> 바빌론의 점쟁이에게 미혹되지도 마시오, 무엇이 오든 견디는 것이 더 좋은 법이오

튀레눔 바다 절벽 위를 덮고 있는 그 겨울이

주피터 신이 당신에게 주신 또 하나의 겨울이든, 아니면 우리의 마지막 겨울이든간에 말이오

현명하시오, 와인도 드시오, 멀고 먼 희망은 떨쳐 버리시오, 생명은 짧다오

우리가 말하는 동안에도 아까운 시간은 지나가고 있다오

오늘을 잡으시오, 내일에 대한 믿음은 할 수만 있다면 접으시오.

– 퀸투스 호라티우스 플라쿠스 (다음백과 http://100.daum.net/encyclopedia/view/b21k0744n15)

소설 「카르페디엠」은 죽음이 성큼 다가와 있는 윤미와 한쪽 팔을 잃은 육체적 결핍을 얻게 된 준영의 사랑 이야기다. 둘의 상처와 결핍이 오랜 세월을 돌아 공존의 영역을 여는 접속면(크로노토프) 역할을 한다. 상처는 부드러워져서 꽁꽁 묻어두었던 소중한 것들이 돋아날 수 있게 한다. 다가온 죽음 덕분에 윤미는 사랑으로 마음을 연다. 준영은 자신의 실수로 지켜내지 못한 사랑에 대한 '용서'를 구할 수 있게 된다.

그녀는 입술에 덧칠했던 진분홍색 립스틱을 화장솜으로 말끔히 닦아 냈다. 병약한 얼굴이 드러나도 괜찮았다. 그녀가 먼

저 준영에게 입을 맞추었다. 지금 자신의 몸속에서 소용돌이치고 있는 뜨거운 기운을 준영에게 건네주고, 그의 당당한 기운을 건네받고 싶었다. 준영이 한 팔로 윤미를 포옹하며 화합해주었다.

호젓한 카페에 음악이 시냇물처럼 흐르고 있었다. 그 음악은 마음의 화합일 뿐만 아니라 어려움을 극복하며 오늘을 살아가는 사람들에게 보내는 삶의 찬가였다.

– 「카르페디엠」 중에서

암 투병을 시작하는 윤미와 한쪽 팔의 준영이 함께 감내해야 할 현실은 녹록하지 않을 것임을 우리는 안다. 그래서 이 이야기가 동화처럼 '행복하게 잘 살았다'로 끝나지 않으리라는 것도 안다. 그러나 암이 없었다면, 한쪽 팔의 결핍이 없었다면 이 이야기는 지상에서 써질 수 없었다는 것도 알고 있다. 그들이 함께 이룰 삶을 통해서 그리고 마주할 죽음을 통해, 좀 더 무수한 이야기가 둘의 사이, 사이에 수놓이길 응원할 뿐이다.

나는 장독대 옆 대숲이 수런거리는 소리를 들으며 자라왔다. 유년 시절에 수줍음이 많고 말이 없는 아이였다. 친구들과 어울리는 것보다 혼자 있는 시간이 더 편하고 좋았다. 학교가 끝나고 심심하면 도서관에서 책을 읽다가 돌아오곤 했다. 하고 싶은 말들은 모두 일기장에 썼다.

열세 살 때 시골에서 광주로 전학 왔다. 아버지 직장 때문에 낯선 곳에 오게 되어 내가 할 수 있는 일이 별로 없었다. 다락방에 숨어서 알렉스 헤일리의 『뿌리』를 읽고 충격을 받았던 일이 떠오른다. 피부색이 다른 게 무슨 죄도 아닌데 인종차별 하는 인간들이 괴물보다 더 무서웠다.

열여덟 살, 서울에서 접한 오월 그날의 아침 뉴스는 단 1분도 길다는 듯 생필품 가게마다 텅텅 빈 곳을 취재해 보여주고 끝났다. 다시 광주에 내려와 대학 다니면서 모든 진실을 알게 되었다. 그 괴물들이 저지른 만행의 아픈 기억이 소설 「고슴도치의 방」과 「회저의 시간」을 쓰게 된 동기가 되었다. 이런 소설을 써도 되는지 많이 주춤거리게 되었다.

아직도 말하는 것처럼 자연스럽게 글로 표현하는 일에 서툴다. 또 사람들과 소통하는 일에도 여전히 서툴고 어눌하다. 그동안 공부하고 가르치는 일을 핑계로 쓰는 일에 미치지 않은 내 게으름에 대해 부끄럽게 생각한다.

나를 학문의 길로 문학의 길로 인도해주신 채희윤 선생님께 감사한 마음을 전한다.

그에게 가는 길은 고통스럽고 힘든 여정이다. 그 길에 따뜻하게 곁을 내주고 오래 기다려준 스승들, 문우들, 학우들, 벗들, 가족들에게 감사드린다.

이 책을 만드느라 고생하신 문학들과 해설을 써주신 전동진 선생님께 감사한 마음을 전한다.

2018년 겨울 김민라

고슴도치의 방 김민라 소설집

초판1쇄 찍은 날 | 2018년 12월 21일
초판1쇄 펴낸 날 | 2018년 12월 26일

지은이 | 김민라
펴낸이 | 송광룡
펴낸곳 | 문학들
등록 | 2005년 8월 24일 제2005 1-2호
주소 | 61489 광주광역시 동구 천변우로 487(학동) 2층
전화 | 062-651-6968
팩스 | 062-651-9690
전자우편 | munhakdle@hanmail.net
블로그 | blog.naver.com/munhakdlesimmian
값 12,000원

ISBN 979-11-86530-63-4 03810

· 이 책은 광주광역시·광주문화재단의 지역문화예술특성화지원사업으로
지원 받아 발간되었습니다.

후원 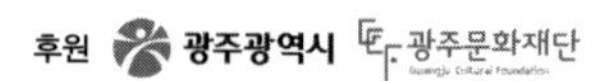